#홈스쿨링
#혼자공부하기

똑똑한 하루 과학

Chunjae
Makes
Chunjae

똑똑한 하루 과학

기획총괄	박상남
편집개발	조진형, 구영희, 김현주, 김성원
디자인총괄	김희정
표지디자인	윤순미, 박민정
내지디자인	박희춘, 우혜림
본문 사진 제공	야외생물연구회, 셔터스톡
제작	황성진, 조규영

발행일	2023년 1월 15일 2판 2023년 1월 15일 1쇄
발행인	(주)천재교육
주소	서울시 금천구 가산로9길 54
신고번호	제2001-000018호
고객센터	1577-0902

※ 정답 분실 시에는 천재교육 홈페이지에서 내려받으세요.

※ KC 마크는 이 제품이 공통안전기준에 적합하였음을 의미합니다.

※ 주의

책 모서리에 다칠 수 있으니 주의하시기 바랍니다.
부주의로 인한 사고의 경우 책임지지 않습니다.
8세 미만의 어린이는 부모님의 관리가 필요합니다.

똑 똑 한

하루 과학

6-1

쉬운 용어 학습
교과 용어를 쉽게 설명하여
교과 이해력 향상!

재미있는 비주얼씽킹
만화, 사진으로
흥미로운 탐구 학습!

간편한 스케줄링
하루 6쪽, 주 5일, 4주 학습
한 학기 공부습관 완성!

똑똑한 하루 과학
어떤 책인지 알면 공부가 더 재미있어.

똑똑한 하루 과학 구성과 특징

핵심 용어

- 핵심 용어만 쏙!
- 한자와 예문으로 이해 쏙쏙!
- 그림으로 기억력 UP!

실험 동영상

빠른 정답 보기

- '❶ 개념 만화 → ❷ 개념 익히기 → ❸ 개념 확인하기' 3단계로 하루 학습
- 하루 6쪽, 4주면 한 학기 공부 끝!

❶ 핵심 개념

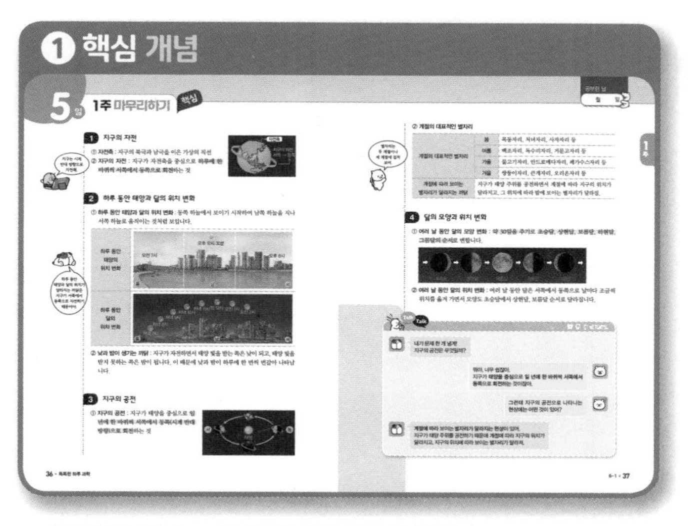

❷ 문제

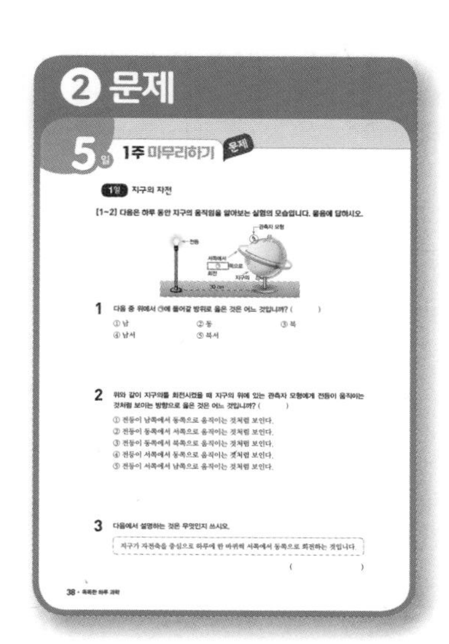

• '❶ 핵심 개념 → ❷ 문제' 2단계로 하루 학습

누구나 100점 TEST

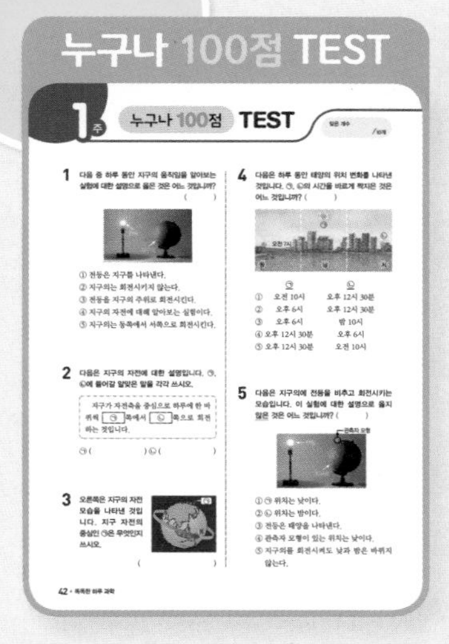

생활 속 과학/사고 쑥쑥/논리 탄탄

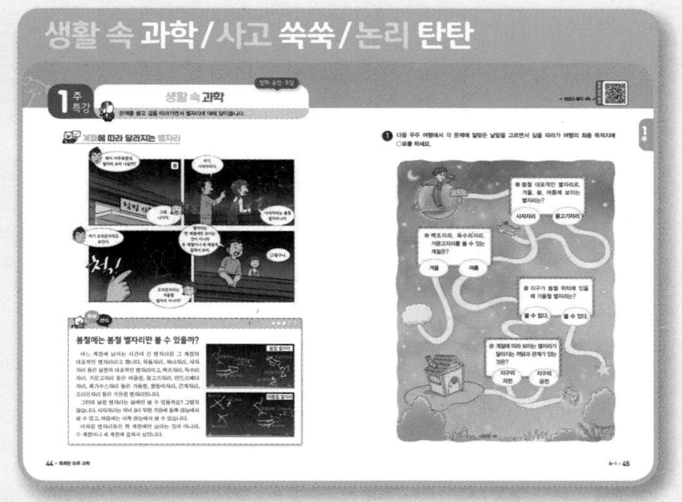

• 한 주에 배운 내용을 확인하는 누구나 100점 맞는 TEST
• 재미있고 새로운 유형의 특강으로 창의력, 사고력, 논리력 UP!

하루하루
조금씩 기초부터 쌓다 보면 어느새 자신감이 생겨.

똑똑한 하루 과학 **차례**

식물의 구조와 기능

빛과 렌즈

똑똑한 하루 과학을 함께할 친구들

봉봉

우주비행사 출신의
외계 생물 전문가

영리

활달하고 과학 지식이
많은 봉봉의 조수

우수

체력이 좋고 성실한
봉봉의 조수

과학 탐구

1 탐구 문제를 정하고 가설 세우기

가설 설정	탐구할 문제를 정하고 탐구의 결과를 예상하는 것
가설을 세울 때 생각할 점	• 이해하기 쉽도록 간결하게 표현해야 함. • 탐구를 하여 가설이 맞는지 확인할 수 있어야 함.

2 실험 계획 세우기

준비물

관찰하거나 측정할 것

모둠 구성원 역할

실험 조건

실험 계획을 세울 때 정할 것

3 실험하기

다르게 해야 할 조건을 제외한 나머지 조건은 같게 해야 해!

실험을 할 때 주의할 점	• 실험 결과는 사실 그대로 기록함. • 실험 결과가 예상과 다르더라도 고치거나 빼지 않음.
반복하여 실험하면 좋은 점	더 정확한 실험 결과를 얻을 수 있음.

4 자료 변환하기

① **자료 변환** : 관찰한 내용이나 측정한 결과에서 얻은 자료를 표나 그래프, 그림 등으로 바꾸는 것

② **자료 변환을 해야 하는 까닭**

- 자료 변환을 하면 실험 결과의 특징을 이해하기 쉽습니다.
- 자료 변환을 하면 자료의 특징을 한눈에 비교하기 쉬워집니다.

③ **자료 변환을 하는 방법** : 실험 결과를 잘 표현할 수 있는 방법으로 변환합니다.

④ **자료 변환 형태**

그래프는 가로축에 실험에서 다르게 한 조건, 세로축에 실험하면서 측정한 값을 나타내.

표	그래프	그림
많은 양의 자료를 체계적으로 정리할 수 있음.	실험 조건과 결과와의 관계를 한눈에 알아보기 쉽게 나타낼 수 있음.	사물의 모양 또는 자연 현상을 이해하기 쉽게 표현할 수 있음.

5 자료 해석하기

자료 해석	실험 결과를 보고 알 수 있는 점을 생각하고, 자료 사이의 관계나 규칙을 찾아내는 과정
자료 해석 방법	• 실험에서 다르게 한 조건과 실험 결과 사이에는 어떤 관계가 있는지 살펴봄. • 실험 조건을 통제하여 실험했는지, 관찰 또는 측정 방법이 올바른지 생각해 봄.

6 결론 이끌어 내기

① **결론 도출** : 실험 결과를 보고 가설이 맞는지 판단하고 결론을 이끌어 내는 과정

② **결론 도출 방법**

결론은 가능한 한 간단하고 분명하게 말해야 해.

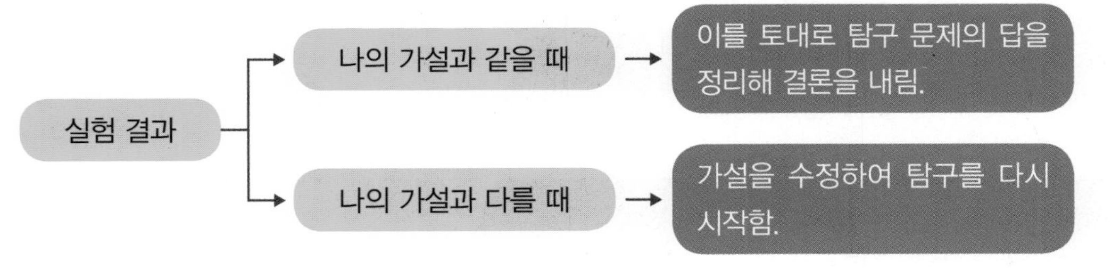

탐구 과정 정리

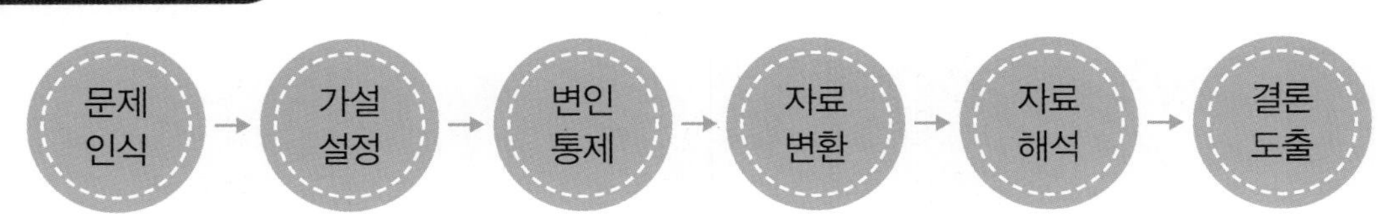

1주 지구와 달의 운동

이번 주에는 무엇을 공부할까? ❶

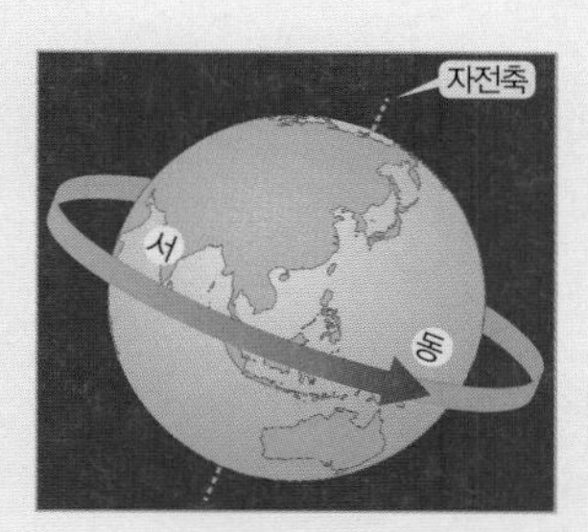

▲ 하루에 한 바퀴씩 자전함.

지구의 자전

보름달

지구의 운동

달의 운동

지구의 공전

상현달

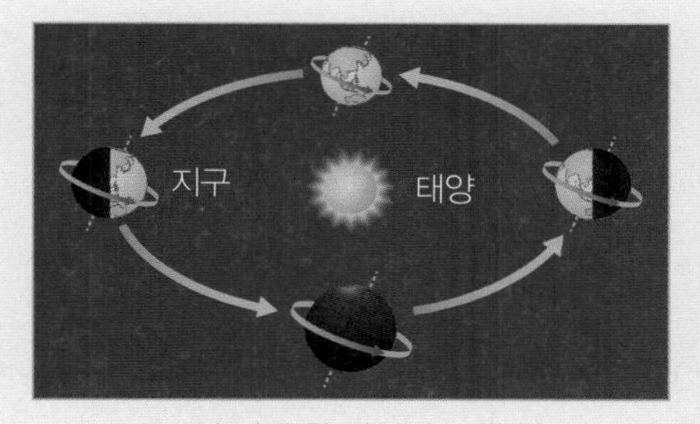

▲ 일 년에 한 바퀴씩 공전 함.

이번 주에는 무엇을 공부할까? ❷

지구의

地 球 儀

땅 지 공 구 거동 의

뜻 **지구와 같이 둥글게 만들어서 바다, 육지 등을 그려 만든 모형**

예 **지구의**는 실제 지구와 같이 한쪽으로 기울어진 모습이에요.

자전축

自 轉 軸

스스로 자 회전할 전 굴대 축

뜻 **지구의 북극과 남극을 이은 가상의 직선**

예 지구의 **자전축**은 지구가 공전하는 면의 수직인 방향에서 23.5° 정도 기울어져 있어요.

지구의 자전 방향과 공전 방향은 같아.

지구의 자전

뜻 **지구가 자전축을 중심으로 하루에 한 바퀴씩 서쪽에서 동쪽으로 회전하는 것**

예 낮과 밤이 하루에 한 번씩 반복되는 것은 **지구의 자전** 때문이에요.

지구의 공전

公 轉

공변될 공 회전할 전

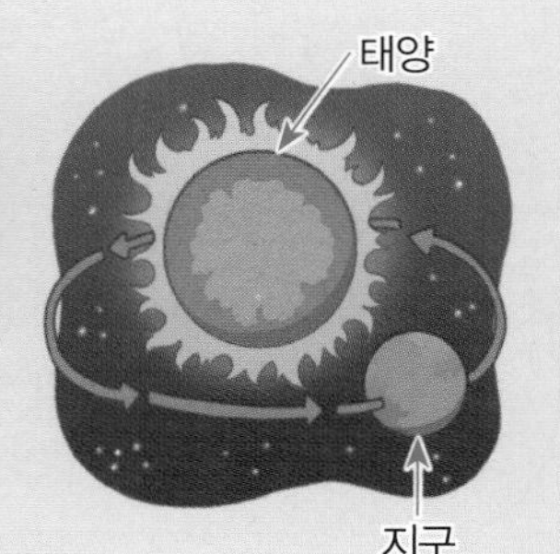

뜻 **지구가 태양을 중심으로 일 년에 한 바퀴씩 서쪽에서 동쪽으로 회전하는 것**

예 지구의 자전 방향과 **지구의 공전** 방향은 모두 시계 반대 방향이에요.

지구와 달의 운동과 관련된 다양한 용어가 있어. 특히 자전축, 지구의 자전, 지구의 공전 등의 용어는 꼭 기억해야 해!

별자리

뜻 **별의 무리를 구분해 이름을 붙인 것으로 계절마다 볼 수 있는 별자리가 다름.**

예 계절의 대표적인 **별자리**는 한 계절에만 보이는 것이 아니라 두 계절이나 세 계절에 걸쳐서 보여요.

보름달

뜻 **음력 15일 무렵에 보이는 공처럼 달의 모습이 모두 보이는 달**

예 오늘 밤에 **보름달**을 보았다면 7~8일 뒤에는 하현달을 볼 수 있어요.

지구의 공전으로 계절에 따라 보이는 별자리가 달라져.

상현달

上 弦

윗 상 활시위 현

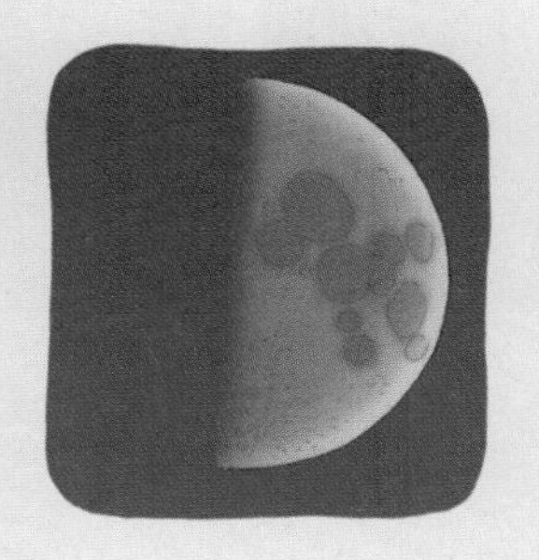

뜻 **음력 7~8일 무렵에 보이는 오른쪽이 불룩한 모양의 달**

예 오늘 **상현달**을 보았다면 일주일 정도 뒤에는 보름달을 볼 수 있어요.

1일 지구의 자전

지구의 운동을 알아보려면 무엇이 필요할까?

용어 체크

지구의

지구와 같이 둥글게 만들어서 바다, 육지 등을 그려 만든 모형

예 하루 동안 지구의 움직임을 알기 위해서는 ❶ ________ 와 전등이 필요하다.

정답 ❶ 지구의

지구는 스스로 빙빙 돌아!

용어 체크

자전축

지구의 북극과 남극을 이은 가상의 직선

예 지구는 ❶ (　　　) 을 중심으로 스스로 회전한다.

지구의 자전

지구가 자전축을 중심으로 하루에 한 바퀴씩 서쪽에서 동쪽으로 회전하는 것

예 태양, 달, 별이 동쪽에서 서쪽으로 움직이는 것처럼 보이는 것은 지구의 ❷ (　　　) 때문이다.

정답 ❶ 자전축 ❷ 자전

1일 개념 익히기

1 관측자 모형이 본 전등이 움직이는 방향은 어떻게 될까?

빠르게 달리는 기차 안에서 창밖 바라보기

창밖으로 보이는 물체가 기차가 달리는 반대 방향으로 움직이는 것처럼 보여.

하루 동안 지구의 움직임

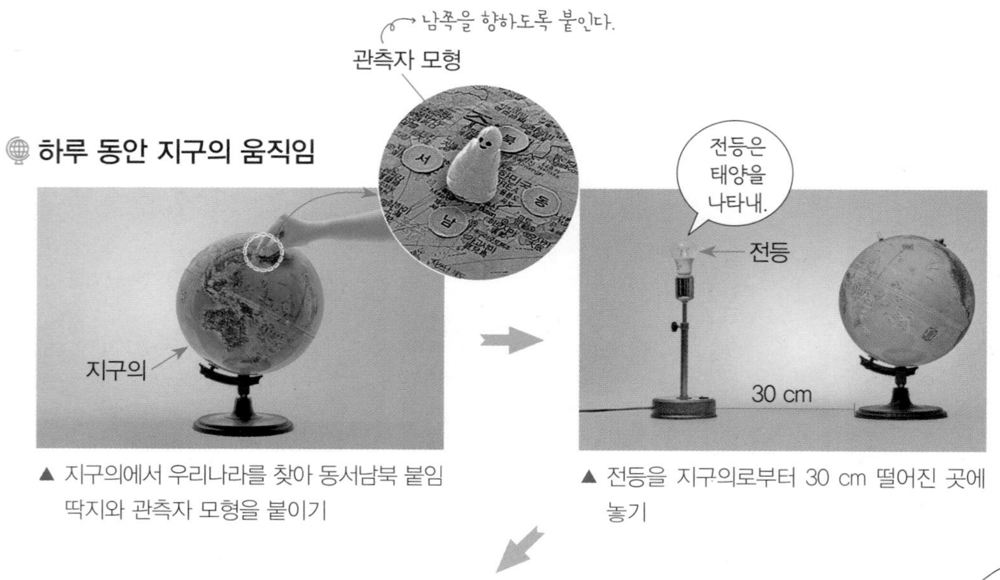

▲ 지구의에서 우리나라를 찾아 동서남북 붙임 딱지와 관측자 모형을 붙이기

▲ 전등을 지구의로부터 30 cm 떨어진 곳에 놓기

▲ 관측자 모형의 앞쪽에 전등을 놓고 켜기

▲ 지구의를 서쪽에서 동쪽으로 회전시키며 관측자 모형에서 보이는 전등의 움직임 생각하기

관측자 모형에게는 전등이 동쪽에서 서쪽으로 움직이는 것처럼 보여.

지구의 위에 있는 **관측자 모형에게 전등은 동쪽에서** ❶(북쪽 / 서쪽)**으로 움직이는 것처럼 보입니다.**

2 지구의가 회전하는 방향과 관측자 모형이 본 전등이 움직이는 방향은 어떻게 다를까?

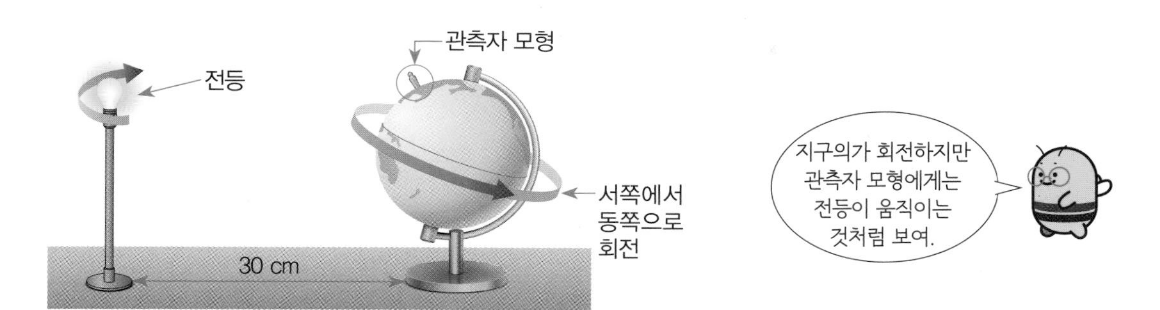

지구의를 서쪽에서 동쪽으로 회전시키면, 관측자 모형에게는 ❷(전등 / 자전축)이 동쪽에서 서쪽으로 움직이는 것처럼 보입니다.

3 지구의 자전이란 무엇일까?

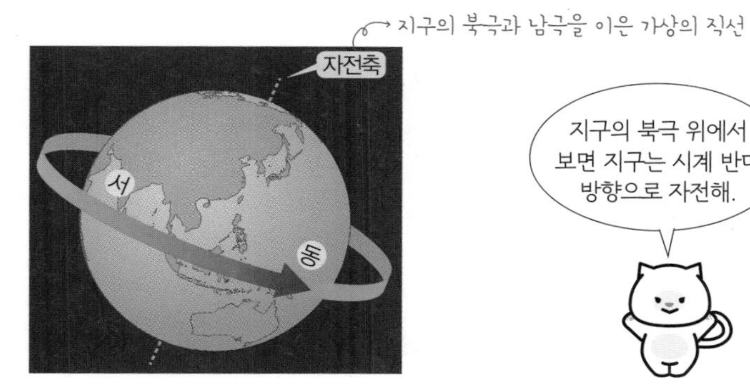

지구의 자전은 지구가 ❸(적도 / 자전축)을/를 중심으로 하루에 한 바퀴씩 회전하는 것입니다.

정답 ❶ 서쪽 ❷ 전등 ❸ 자전축

개념 체크

정답과 풀이 1쪽

1 하루 동안 지구의 움직임을 알아보는 실험에서 지구의는 ☐☐에서 동쪽으로 회전시킵니다.

2 지구는 하루에 ☐ 바퀴씩 자전합니다.

3 지구의 북극과 남극을 이은 가상의 직선을 ☐☐☐이라고 합니다.

보기
- 두
- 한
- 북쪽
- 서쪽
- 공전축
- 자전축

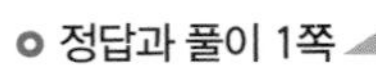

개념 확인하기

○ 정답과 풀이 1쪽

1 다음은 기차 안에서 창밖을 바라보았을 때에 대한 내용입니다. □ 안에 들어갈 알맞은 말을 쓰시오.

> 빠르게 달리는 기차 안에서 창밖을 바라보면 창밖으로 보이는 물체가 기차가 달리는 [　　] 방향으로 빠르게 움직이는 것처럼 보입니다.

(　　　　　　)

[2~4] 오른쪽은 하루 동안 지구의 움직임을 알아보는 실험의 모습입니다. 물음에 답하시오.

2 다음 중 오른쪽에서 전등이 나타내는 것은 어느 것입니까? (　　　)

① 달
② 지구
③ 혜성
④ 태양
⑤ 행성

3 위의 지구의에서 우리나라 위치에 동서남북 붙임딱지를 바르게 붙인 것의 기호를 쓰시오.

㉠ 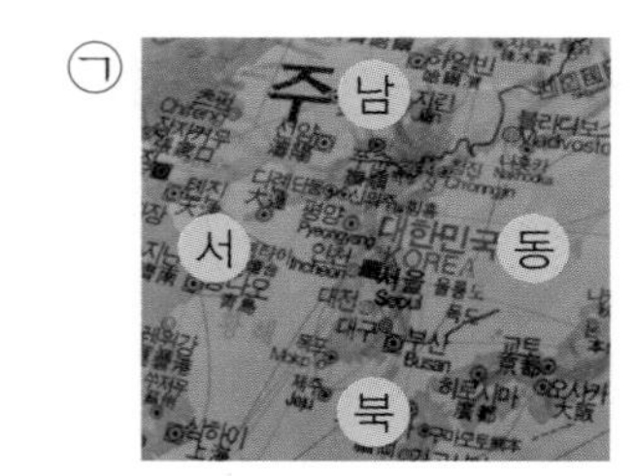

㉡ 

(　　　　　　)

4 다음 중 위 실험에서 지구의를 돌리는 방향으로 옳은 것은 어느 것입니까? (　　　)

① 동쪽 → 서쪽
② 동쪽 → 남쪽
③ 서쪽 → 남쪽
④ 서쪽 → 동쪽
⑤ 서쪽 → 북쪽

5 다음 중 지구의 자전 방향을 바르게 표시한 것을 골라 기호를 쓰시오.

㉠
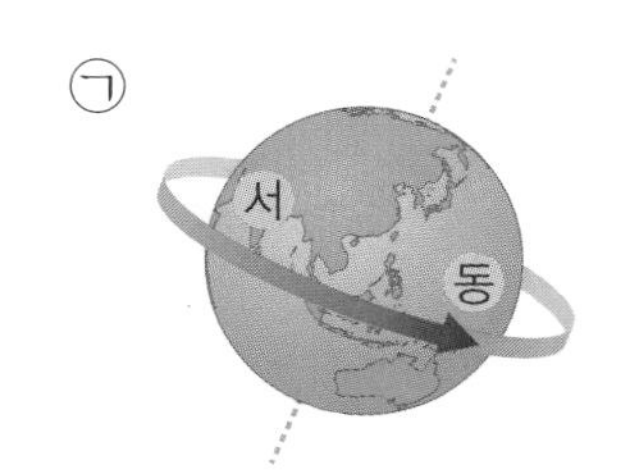

㉡
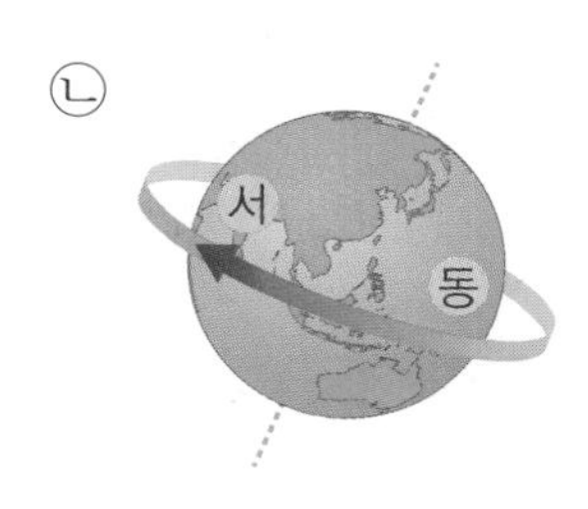

( )

6 다음 중 지구의 자전에 대한 설명으로 옳은 것을 보기에서 골라 바르게 짝지은 것은 어느 것입니까? ( )

보기
㉠ 태양을 중심으로 회전합니다.
㉡ 하루에 한 바퀴씩 회전합니다.
㉢ 서쪽에서 동쪽으로 회전합니다.
㉣ 태양이 지구 주위를 회전하는 것입니다.

① ㉠, ㉡ ② ㉠, ㉢ ③ ㉡, ㉢
④ ㉡, ㉣ ⑤ ㉢, ㉣

7 다음 □ 안에 들어갈 알맞은 낱말을 말 상자에서 찾아 모두 ○표를 하세요. 말 상자의 낱말은 가로, 세로, 대각선에 숨어 있어요.

자	★	한	★
동	전	★	태
반	쪽	축	양
대	지	구	★

❶ 하루 동안 지구의 움직임을 관찰하는 실험에서 전등은 □□을 나타내고, 지구의는 지구를 나타냄.
❷ 지구가 자전축을 중심으로 하루에 □ 바퀴씩 회전하는 것을 지구의 자전이라고 함.
❸ 지구는 서쪽에서 □□으로 자전을 함.
❹ 지구는 시계 □□ 방향으로 자전을 함.
❺ 지구의 북극과 남극을 이은 가상의 직선. □□□

2일 하루 동안 태양과 달의 위치 변화

하루 동안 태양의 위치는 어떻게 달라질까?

용어 체크

태양

태양계 중심에 있으며 태양계에서 유일하게 빛을 내는 천체

예 하루 동안 ❶ [　　] 과 달의 위치 변화가 나타나는 까닭 지구의 자전 때문이다.

위치

일정한 곳에 자리를 차지하는 것

예 하루 동안 달의 ❷ [　　] 는 동쪽 하늘에서 서쪽 하늘로 움직이는 것처럼 보인다.

정답 ❶ 태양 ❷ 위치

낮과 밤은 왜 번갈아 나타날까?

용어 체크

낮

태양이 동쪽에서 떠오를 때부터 서쪽으로 완전히 질 때까지의 시간

예 지구가 자전하면서 태양을 받는 쪽은 ❶ [ ] 이 된다.

밤

태양이 서쪽으로 진 때부터 다시 동쪽에서 떠오르기 전까지의 시간

예 낮과 ❷ [ ] 은 하루에 한 번씩 반복된다.

정답 ❶ 낮 ❷ 밤

2일 개념 익히기

1 하루 동안 태양과 달의 위치는 어떻게 달라질까?

하루 동안 태양의 위치 변화

태양은 동쪽 하늘에서 보이기 시작하여 남쪽 하늘을 지나 서쪽 하늘로 움직이는 것처럼 보여.

하루 동안 달의 위치 변화

달도 동쪽 하늘에서 남쪽 하늘을 지나 서쪽 하늘로 움직이는 것처럼 보여.

하루 동안 태양과 달의 위치 변화

- 하루 동안 태양과 달이 움직이는 방향은 모두 같음.
- 태양과 달 모두 **동쪽** 하늘에서 **남쪽** 하늘을 지나 **서쪽** 하늘로 움직이는 것처럼 보임.

하루 동안 태양과 달의 위치가 달라지는 까닭은 지구가 서쪽에서 동쪽으로 자전하기 때문이야.

☑ 하루 동안 태양과 달은 모두 동쪽에서 [1](북쪽 / 서쪽)으로 움직이는 것처럼 보입니다.

2 낮과 밤이 생기는 까닭은 무엇일까?

낮과 밤이 생기는 까닭 알아보기

전등을 켜고 우리나라 위치에 관측자 모형을 붙인 다음, 지구의를 서쪽에서 동쪽으로 회전시킴.

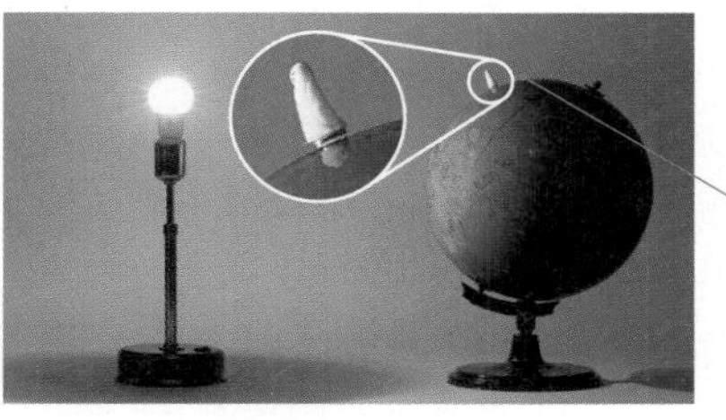

관측자 모형이 전등 빛을 받는 쪽에 있음.

▲ 우리나라가 낮일 때

관측자 모형이 전등 빛을 받지 못하는 쪽에 있음.

▲ 우리나라가 밤일 때

낮과 밤이 생기는 까닭

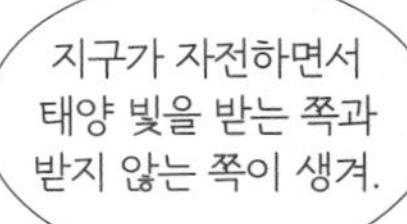

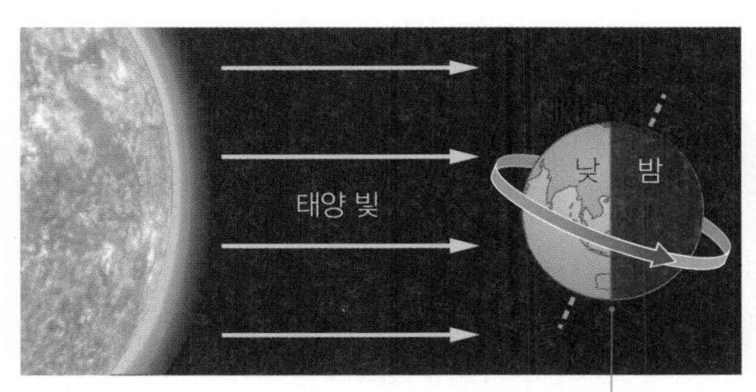

낮과 밤은 하루에 한 번씩 나타남.

태양 빛을 받는 쪽은 낮이 되고, 태양 빛을 받지 못하는 쪽은 밤이 돼.

지구가 [2](공전 / 자전)하면서 태양 빛을 받는 쪽은 낮, 태양 빛을 받지 못하는 쪽은 밤이 됩니다.

정답 ❶ 서쪽 ❷ 자전

정답과 풀이 1쪽

1 태양은 동쪽 하늘에서 보이기 시작하여 ☐쪽 하늘을 지나 서쪽 하늘로 움직이는 것처럼 보입니다.

2 하루 동안 태양과 ☐이 움직이는 방향은 모두 같습니다.

3 지구가 자전하면서 태양 빛을 받는 쪽은 ☐이 됩니다.

보기
- 낮
- 밤
- 남
- 북
- 달
- 혜성

2일 개념 확인하기

정답과 풀이 1쪽

1 다음은 하루 동안 태양의 위치 변화를 나타낸 것입니다. ㉠~㉢에 들어갈 알맞은 방위를 바르게 짝지은 것은 어느 것입니까? (　　　　)

	㉠	㉡	㉢
①	남	동	서
②	남	서	동
③	동	남	서
④	동	서	남
⑤	서	남	동

2 다음은 하루 동안 달의 위치 변화에 대한 모습입니다. 저녁 7시 무렵에 보이는 달의 위치가 다음과 같을 때 밤 12시 무렵에 보이는 달의 위치로 옳은 것을 골라 기호를 쓰시오.

(　　　　　　　　　　)

3 다음은 하루 동안 태양과 달의 위치가 달라지는 까닭에 대한 설명입니다. □ 안에 들어갈 알맞은 말을 쓰시오.

> 하루 동안 태양과 달의 위치가 달라지는 까닭은 지구가 서쪽에서 동쪽으로 □ 하기 때문입니다.

(　　　　　　　　　　)

4 다음 낮과 밤이 생기는 까닭을 알아보는 실험에서 우리나라(관측자 모형을 붙인 위치)가 전등 빛을 받지 못하는 때인 것을 골라 기호를 쓰시오.

㉠ 

㉡ 

( )

집중 연습 문제 낮과 밤이 생기는 까닭

5 다음은 지구가 태양 빛을 받는 모습을 나타낸 것입니다. ㉠, ㉡은 낮과 밤 중 어느 때인지 각각 쓰시오.

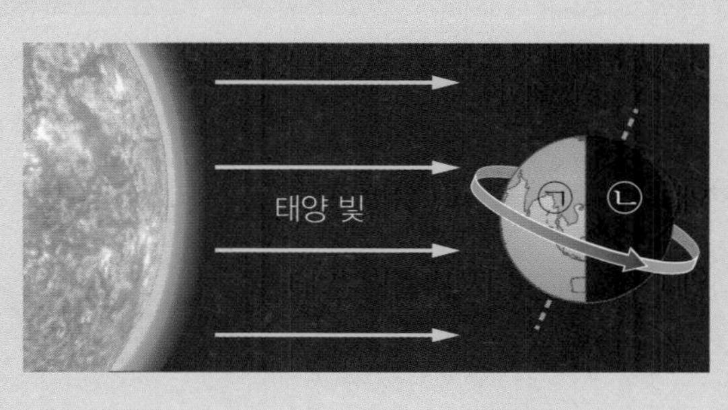

㉠ ( ) ㉡ ( )

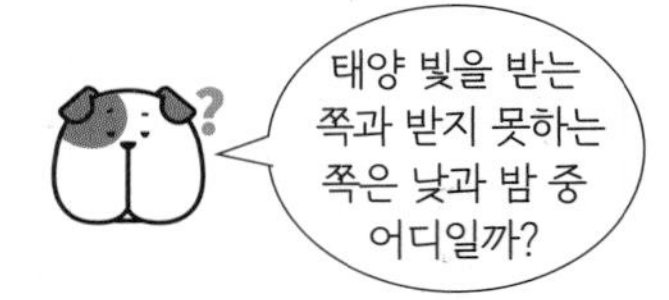

- 태양 빛을 받는 쪽 ➔ ◯
- 태양 빛을 받지 못하는 쪽 ➔ ◯

6 다음 보기에서 낮과 밤이 생기는 까닭에 대한 설명으로 옳은 것을 두 가지 골라 기호를 쓰시오.

보기
㉠ 지구가 자전하기 때문입니다.
㉡ 지구가 태양보다 크기 때문입니다.
㉢ 지구의 계절이 변하기 때문입니다.
㉣ 지구가 태양 빛을 받는 쪽과 받지 못하는 쪽이 생기기 때문입니다.

(,)

지구에서 우리나라가 어떤 위치일 때 낮과 밤이 되는지 생각해 봐.

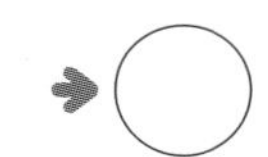

3일 지구의 공전

지구가 태양을 한 바퀴 회전하는 데 걸리는 시간은?

용어 체크

지구의 공전

지구가 태양을 중심으로 일 년에 한 바퀴씩 서쪽에서 동쪽으로 회전하는 것

예 지구는 자전을 하면서 동시에 태양을 중심으로 ❶ [ ] 한다.

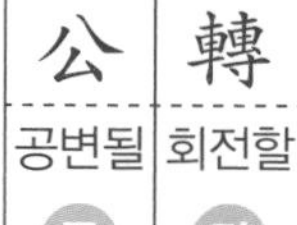

公	轉
공변될	회전할
공	전

정답 ❶ 공전

계절의 대표적인 별자리에는 무엇이 있을까?

용어 체크

별자리

별의 무리를 구분해 이름을 붙인 것으로 계절마다 볼 수 있는 별자리가 다름.

예 봄철 대표적인 별자리인 사자자리는 겨울, ❶ [ ], 여름의 세 계절에 걸쳐 보인다.

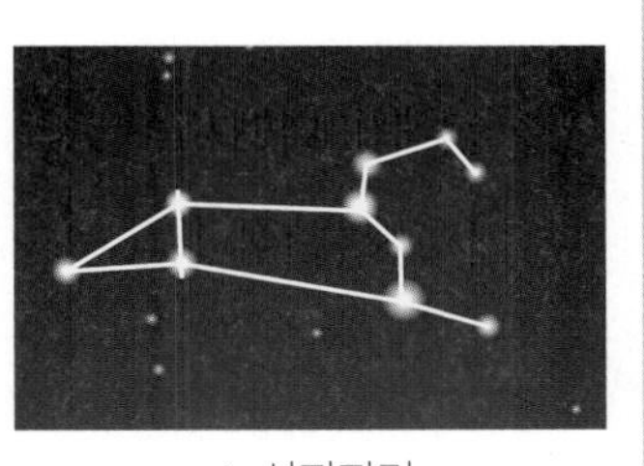

▲ 사자자리

정답 ❶ 봄

3일 개념 익히기

1 지구의 공전이란 무엇일까?

(가)~(라) 위치에서 우리나라가 한밤일 때 관측자 모형에게 보이는 것 알아보기

지구의가 놓인 위치에 따라 관측자 모형에게 한밤에 보이는 교실의 모습이 다른 까닭

지구의가 전등을 중심으로 회전하기 때문에 지구의가 놓인 위치에 따라 우리나라가 한밤일 때 향하는 곳이 달라지기 때문임.

지구의 공전

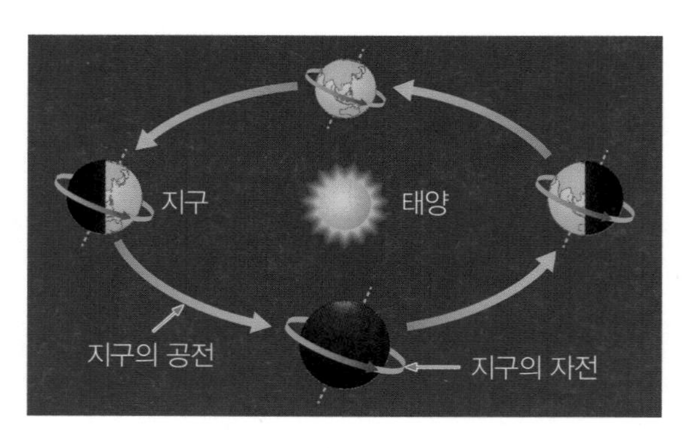

지구가 태양을 중심으로 일 년에 한 바퀴씩 서쪽에서 동쪽으로 회전하는 것을 지구의 [1](공전 / 자전)이라고 합니다.

어느 계절에 보이는 시간이 긴 별자리를 계절의 대표적인 별자리라고 한다.

2 계절에 따라 보이는 별자리가 달라지는 까닭은 무엇일까?

봄철의 대표적인 별자리인 사자자리는 겨울, 봄, 여름에 모두 보임.

▲ 봄(4월 15일 무렵)

별자리는 한 계절에만 보이는 것이 아니라 두 세 계절에 걸쳐서 보여.

▲ 여름(7월 15일 무렵)

▲ 가을(10월 15일 무렵)

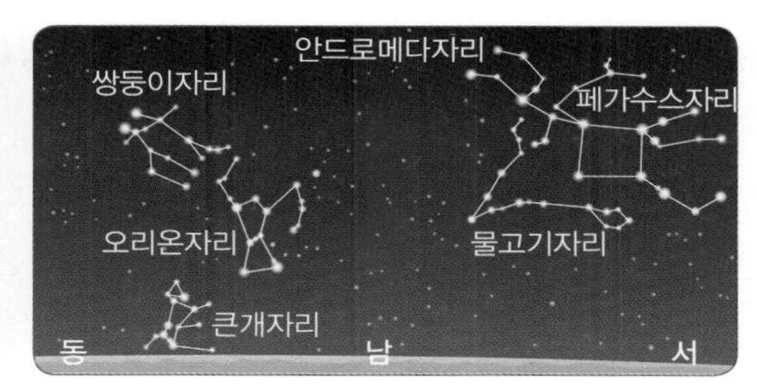

▲ 겨울(1월 15일 무렵)

계절에 따라 보이는 별자리가 달라지는 까닭

- **지구가** 태양 주위를 **공전하기 때문**에 계절에 따라 지구의 위치가 달라지고, 밤에 보이는 별자리가 달라짐.
- 태양과 같은 방향에 있는 별자리는 태양 빛 때문에 볼 수 없음.

봄철에 가을철 별자리는 태양과 같은 방향에 있기 때문에 볼 수 없어.

지구가 태양 주위를 공전하기 때문에 계절에 따라 지구의 위치가 달라지고, 밤에 보이는 ❷(태양 / 별자리)이/가 달라집니다.

정답 ❶ 공전 ❷ 별자리

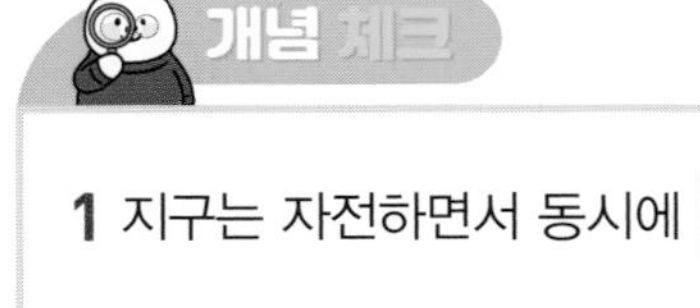

정답과 풀이 2쪽

1 지구는 자전하면서 동시에 ☐☐을 중심으로 일정한 길을 따라 회전합니다.

2 봄철의 대표적인 별자리인 사자자리는 겨울, 봄, ☐☐에 모두 보입니다.

3 지구가 태양을 중심으로 ☐ 년에 한 바퀴씩 서쪽에서 동쪽으로 회전하는 것을 지구의 공전이라고 합니다.

보기
- 이
- 일
- 여름
- 가을
- 달
- 태양

개념 확인하기

정답과 풀이 2쪽

[1~2] 다음은 우리나라 위치에 관측자 모형을 붙이고 전등을 켠 다음, 지구의를 (가) → (나) → (다) → (라) 위치로 옮겨보는 실험의 모습입니다. 물음에 답하시오.

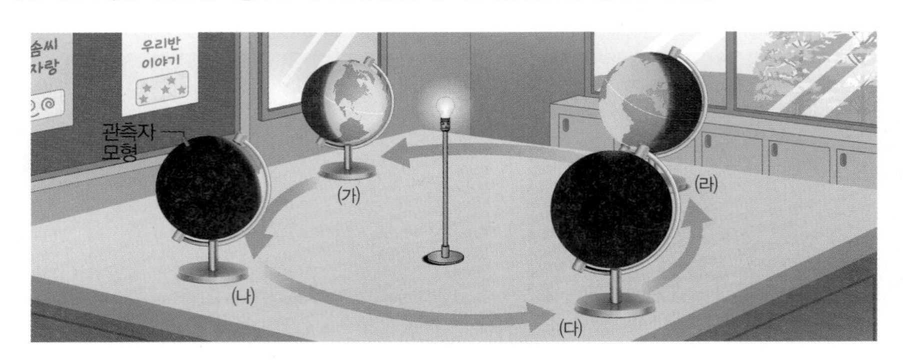

1 다음 중 위의 (가)~(라) 각 지구의의 위치에서 우리나라가 한밤일 때 관측자 모형에게 보이는 교실의 모습으로 옳은 것은 어느 것입니까? (　　　　)

① (가)와 (다) 위치에서만 같다.
② (나)와 (라) 위치에서만 같다.
③ (가), (나), (다), (라) 위치에서 모두 같다.
④ (가), (나), (다), (라) 위치에서 모두 다르다.
⑤ (가), (나), (다) 위치에서는 같고, (라) 위치에서만 다르다.

2 다음은 위 실험에서 알게 된 점에 대한 설명입니다. (　　) 안의 알맞은 말에 ○표를 하시오.

> 지구의의 위치에 따라 관측자 모형에게 한밤에 보이는 교실의 모습이 (같은 / 다른) 까닭은 지구의가 전등을 중심으로 회전하기 때문에 지구의가 놓인 위치에 따라 우리나라가 한밤일 때 향하는 곳이 달라지기 때문입니다.

3 다음 중 지구의 공전에 대한 설명으로 옳은 것은 어느 것입니까? (　　　　)

① 시계 방향으로 회전한다.
② 자전축을 중심으로 회전한다.
③ 동쪽에서 서쪽으로 회전한다.
④ 태양이 지구를 중심으로 회전하는 것이다.
⑤ 지구는 공전하는 동안 자전을 멈추지 않는다.

4 다음 중 여름철 대표적인 별자리를 골라 기호를 쓰시오.

㉠

㉡
안드로메다자리
쌍둥이자리
페가수스자리
오리온자리
물고기자리
큰개자리
동
남
서

( )

5 다음 중 오른쪽 봄철 대표적인 별자리에 대한 설명으로 옳지 않은 것은 어느 것입니까? ( )

목동자리
사자자리
쌍둥이자리
오리온자리
처녀자리
큰개자리
동
남
서

① 봄철에 다른 계절의 별자리도 볼 수 있다.
② 목동자리, 처녀자리, 사자자리 등이 보인다.
③ 사자자리는 겨울, 봄, 여름에도 볼 수 있다.
④ 봄철 대표적인 별자리는 가을에는 볼 수 없다.
⑤ 지구가 봄철 위치에 있을 때 봄철 별자리는 태양과 같은 방향에 있다.

6 다음 □ 안에 들어갈 알맞은 낱말을 말 상자에서 찾아 모두 ○표를 하세요. 말 상자의 낱말은 가로, 세로, 대각선에 숨어 있어요.

대	동	★	공
★	표	쪽	전
태	양	적	★
사	자	자	리

1. 지구가 태양을 중심으로 일 년에 한 바퀴씩 회전하는 것을 지구의 □□이라고 함.
2. 지구는 서쪽에서 □□으로 공전함.
3. 봄철의 대표적인 별자리인 □□□□는 겨울, 봄, 여름에 모두 보임.
4. 지구가 봄철 위치에 있을 때 가을철 별자리는 □□과 같은 방향에 있기 때문에 볼 수 없음.

4일 달의 모양과 위치 변화

달의 모양이 변하는 순서는?

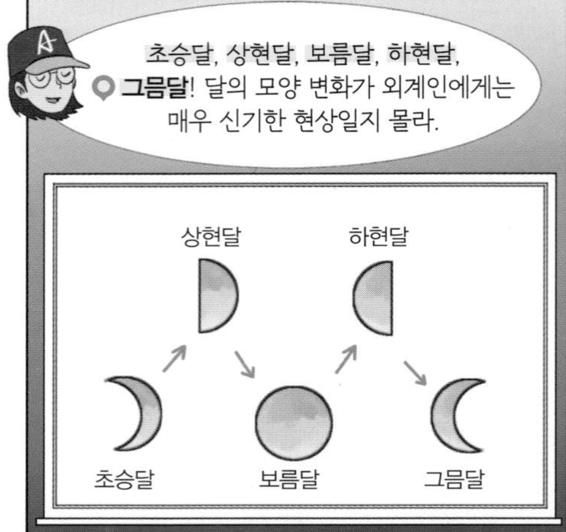

용어 체크

보름달

음력 15일 무렵에 보이는 공처럼 달의 모습이 모두 보이는 달

예 정월대보름에 ❶ [ ] 을 보고 소원을 빌었다.

그믐달

음력 27~28일 무렵에 보이는 초승달의 반대 모양의 달

예 하현달에서 시간이 지나면 달의 크기가 점점 작아져 ❷ [ ] 이 된다.

정답 ❶ 보름달 ❷ 그믐달

만화로 재미있게 개념 쏙쏙! 용어 쏙쏙!

날마다 같은 시각에 달이 보이는 위치가 변한다고?

용어 체크

상현달

음력 7~8일 무렵에 보이는 오른쪽이 불룩한 모양의 달

예 초승달이 점점 커지면 ❶ ______ 이 된다.

초승달

음력 2~3일 무렵에 보이는 눈썹 모양의 달

예 달이 바나나처럼 생겼고, 음력 3일에 보였다면 그 달은 ❷ ______ 이다.

정답 ❶ 상현달 ❷ 초승달

1 여러 날 동안 달의 모양은 어떻게 달라질까?

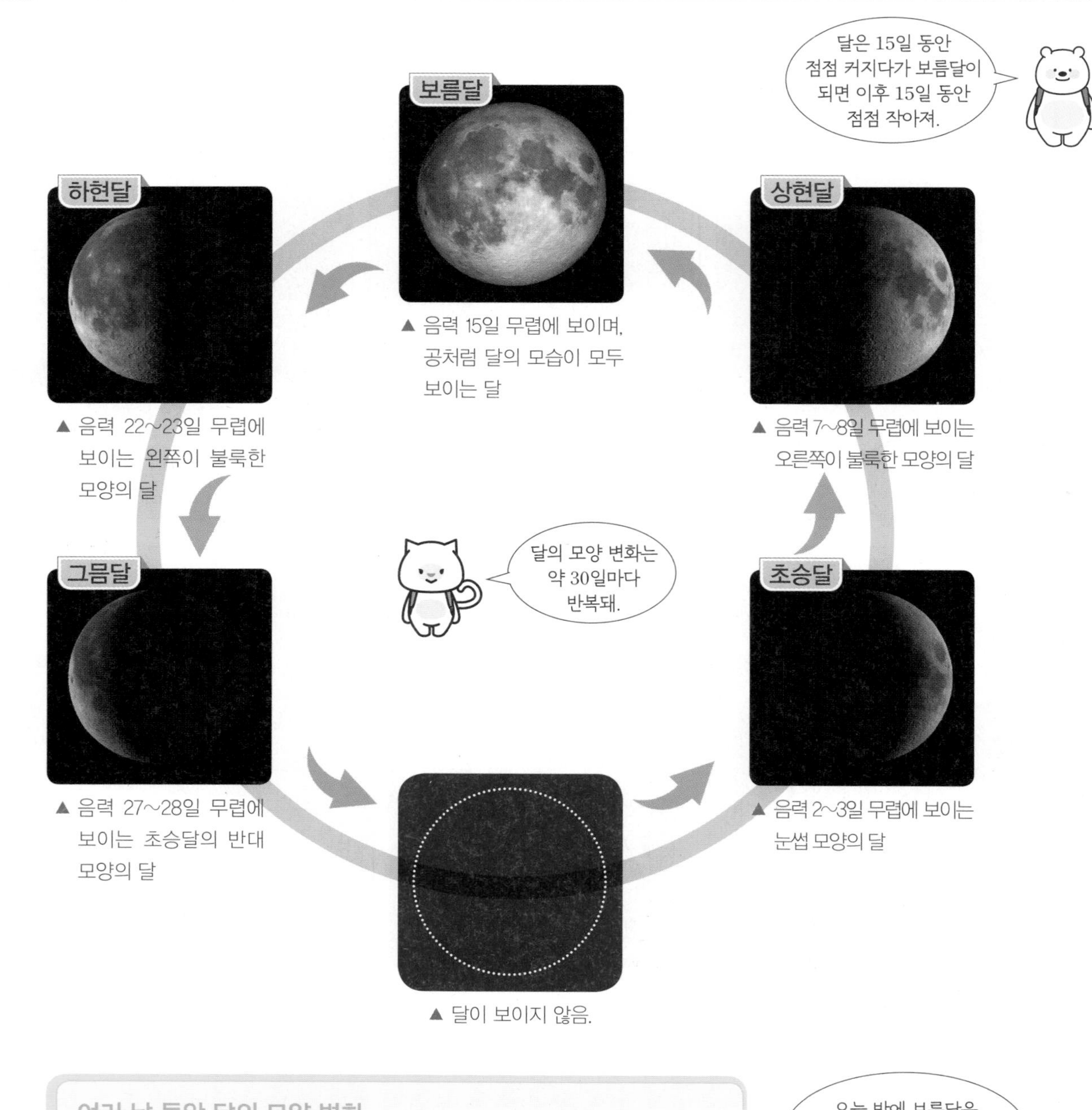

여러 날 동안 달의 모양 변화

여러 날 동안 달의 모양은 오른쪽 부분이 보이기 시작하면서 점점 왼쪽으로 커지다가 보름달이 지나면서부터는 오른쪽이 점점 보이지 않게 되고 다시 그믐달 모양이 됨.

오늘 밤에 보름달을 보았다면 약 30일 후에 다시 보름달을 볼 수 있어.

☑ 여러 날 동안 달은 **초승달, 상현달, 보름달, 하현달, 그믐달의 순서로 ❶(모양 / 색깔)이/가 변합니다.**

2 여러 날 동안 달의 위치는 어떻게 달라질까?

여러 날 동안 같은 시각(태양이 진 직후, 7시 무렵), 같은 장소에서 달의 위치 변화

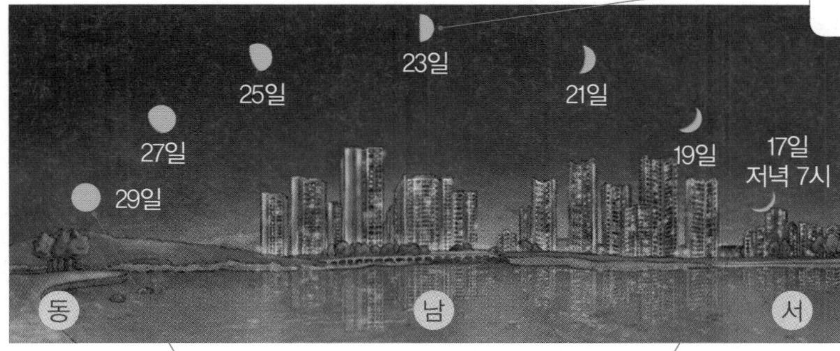

• 음력 7~8일 무렵에 보임.
• 태양이 진 직후 상현달은 남쪽 하늘에서 보임.

• 음력 15일 무렵에 보임.
• 태양이 진 직후 보름달은 동쪽 하늘에서 보임.

• 음력 2~3일 무렵에 보임.
• 태양이 진 직후 초승달은 서쪽 하늘에서 보임.

여러 날 동안 같은 시각에 달을 관측하면 서쪽에서 동쪽으로 날마다 조금씩 옮겨 가고 모양도 달라져.

여러 날 동안 같은 시각, 같은 장소에서 보이는 달의 위치 관측하는 방법

❶ 관측할 시각을 정하기
❷ 동쪽, 남쪽, 서쪽을 확인하기
❸ 주변 건물, 나무 등의 위치를 표시해 놓기
❹ 일정한 시간에 남쪽 하늘을 보면서 달의 위치와 모양을 관측하여 기록하기
❺ 같은 방법으로 여러 날 동안 달의 위치와 모양을 관측하여 기록하기

여러 날 동안 달은 서쪽에서 동쪽으로 날마다 조금씩 ❷(위치 / 색깔)을/를 옮겨 가면서 그 모양도 달라집니다.

정답 ❶ 모양 ❷ 위치

개념 체크

정답과 풀이 2쪽

1 달의 모양 변화는 약 ☐☐일 마다 반복됩니다.

2 음력 15일 무렵에 보이는 달은 ☐☐☐입니다.

3 여러 날 동안 달은 ☐쪽에서 동쪽으로 날마다 조금씩 옮겨 갑니다.

보기
• 북 • 서
• 15 • 30
• 그믐달 • 보름달

개념 확인하기

1 다음 중 여러 날 동안 달의 모양 변화에 대한 설명으로 옳은 것은 어느 것입니까? (　　　　)

① 계속 눈썹 모양으로 보인다.
② 달은 30일 동안 점점 커진다.
③ 계속 둥근 공 모양으로 보인다.
④ 여러 날 동안 달의 모양은 변하지 않는다.
⑤ 달이 15일 동안 점점 커지다가 보름달이 되면 이후 15일 동안 점점 작아진다.

[2~3] 다음은 여러 가지 달의 모양입니다. 물음에 답하시오.

㉠ 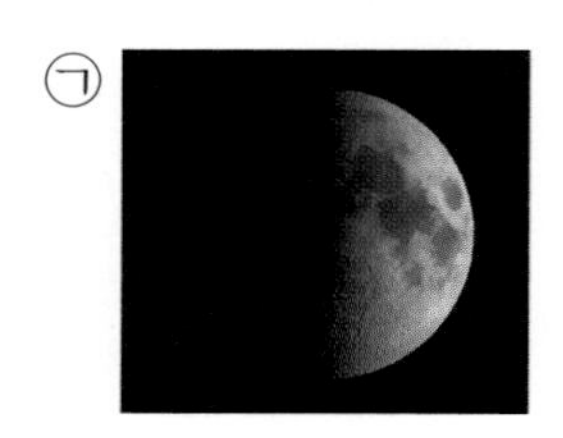
㉡ 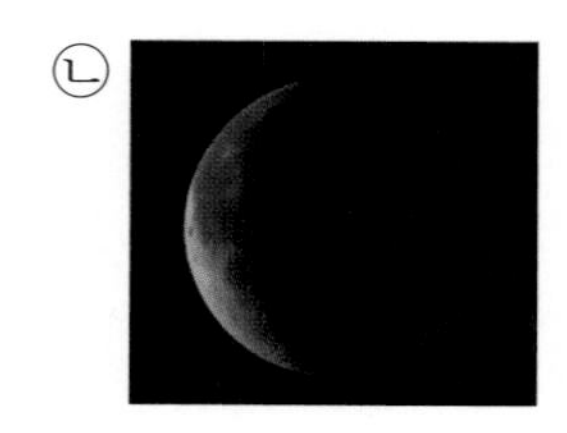
㉢ 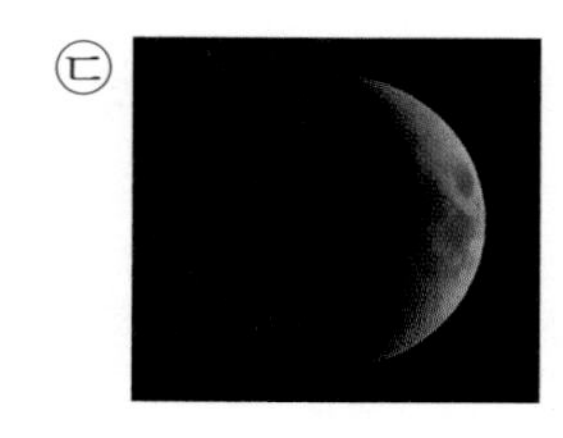

2 위에서 음력 7~8일 무렵에 볼 수 있는 달을 골라 기호를 쓰시오.

(　　　　　　　　)

3 다음 중 위에서 음력 27~28일에 볼 수 있는 달의 기호와 이름을 옳게 짝지은 것은 어느 것입니까? (　　　　)

① ㉠, 보름달　　② ㉠, 그믐달
③ ㉡, 상현달　　④ ㉡, 그믐달
⑤ ㉢, 하현달

4 다음은 달의 모양 변화에 대한 설명입니다. □ 안에 들어갈 알맞은 말을 쓰시오.

> 초승달이 점점 커지다가 상현달이 되고, 상현달에서 점점 커져 □이 된 뒤에는 점점 작아지면서 하현달, 그믐달이 됩니다.

(　　　　　　　　)

5 다음 여러 날 동안 태양이 진 직후 같은 시각(7시 무렵), 같은 장소에서 관측한 달의 모양과 위치를 줄로 바르게 이으시오.

(1) 상현달 •　　　• ㉠ 음력 2~3일 무렵 서쪽 하늘

(2) 초승달 •　　　• ㉡ 음력 7~8일 무렵 남쪽 하늘

(3) 보름달 •　　　• ㉢ 음력 15일 무렵 동쪽 하늘

6 다음은 여러 날 동안 태양이 진 직후 같은 시각(7시 무렵)에 관측한 달의 위치 변화에 대한 설명입니다. □ 안에 들어갈 알맞은 말을 쓰시오.

> 여러 날 동안 같은 시각(7시 무렵)에 관측한 달의 위치는 서쪽에서 □쪽으로 날마다 조금씩 옮겨 가면서 그 모양도 달라집니다.

(　　　　　　)

똑똑한 하루 퀴즈

7 다음 □ 안에 들어갈 알맞은 낱말을 말 상자에서 찾아 모두 ○표를 하세요. 말 상자의 낱말은 가로, 세로, 대각선에 숨어 있어요.

보	☆	그	☆
☆	름	믐	모
상	현	달	양
☆	동	쪽	☆
남	쪽	☆	☆

1. 음력 27~28일 무렵에 보이는 달. □□□
2. 음력 7~8일 무렵에 보이는 달. □□□
3. 음력 15일 무렵에 보이며, 공처럼 달의 모습이 모두 보이는 달. □□□
4. 태양이 진 직후 상현달은 □□ 하늘에서 보임.

1주 마무리하기

1 지구의 자전

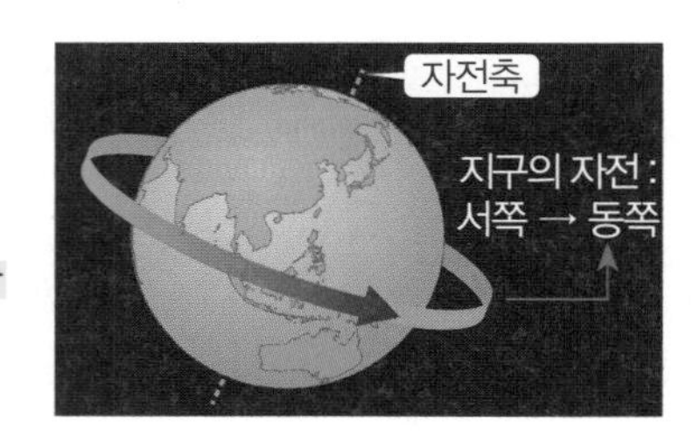

① **자전축** : 지구의 북극과 남극을 이은 가상의 직선

② **지구의 자전** : 지구가 자전축을 중심으로 하루에 한 바퀴씩 서쪽에서 동쪽으로 회전하는 것

지구는 시계 반대 방향으로 자전해.

2 하루 동안 태양과 달의 위치 변화

① **하루 동안 태양과 달의 위치 변화** : 동쪽 하늘에서 보이기 시작하여 남쪽 하늘을 지나 서쪽 하늘로 움직이는 것처럼 보입니다.

하루 동안 태양과 달의 위치가 달라지는 까닭은 지구가 서쪽에서 동쪽으로 자전하기 때문이야.

하루 동안 태양의 위치 변화	
하루 동안 달의 위치 변화	

② **낮과 밤이 생기는 까닭** : 지구가 자전하면서 태양 빛을 받는 쪽은 낮이 되고, 태양 빛을 받지 못하는 쪽은 밤이 됩니다. 이 때문에 낮과 밤이 하루에 한 번씩 번갈아 나타납니다.

3 지구의 공전

① **지구의 공전** : 지구가 태양을 중심으로 일 년에 한 바퀴씩 서쪽에서 동쪽(시계 반대 방향)으로 회전하는 것

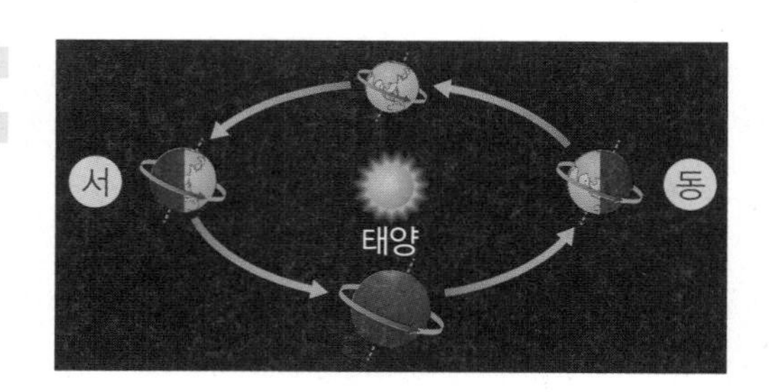

별자리는 두 계절이나 세 계절에 걸쳐 보여.

② **계절의 대표적인 별자리**

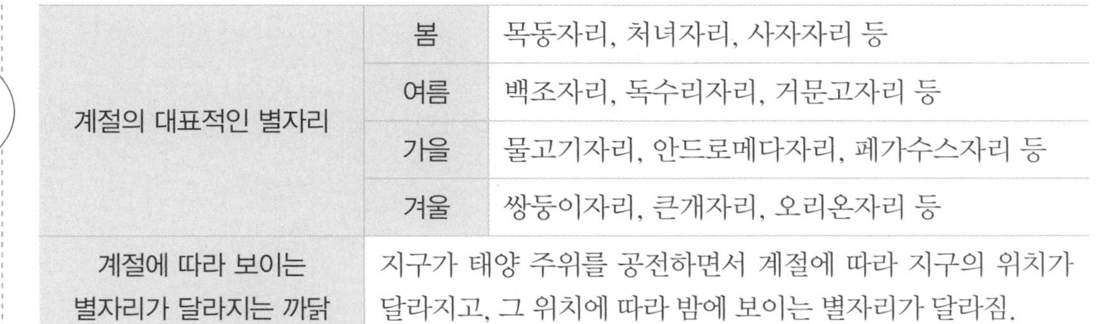

계절의 대표적인 별자리	봄	목동자리, 처녀자리, 사자자리 등
	여름	백조자리, 독수리자리, 거문고자리 등
	가을	물고기자리, 안드로메다자리, 페가수스자리 등
	겨울	쌍둥이자리, 큰개자리, 오리온자리 등
계절에 따라 보이는 별자리가 달라지는 까닭	지구가 태양 주위를 공전하면서 계절에 따라 지구의 위치가 달라지고, 그 위치에 따라 밤에 보이는 별자리가 달라짐.	

4 달의 모양과 위치 변화

① **여러 날 동안 달의 모양 변화** : 약 30일을 주기로 초승달, 상현달, 보름달, 하현달, 그믐달의 순서로 변합니다.

② **여러 날 동안 달의 위치 변화** : 여러 날 동안 달은 서쪽에서 동쪽으로 날마다 조금씩 위치를 옮겨 가면서 모양도 초승달에서 상현달, 보름달 순서로 달라집니다.

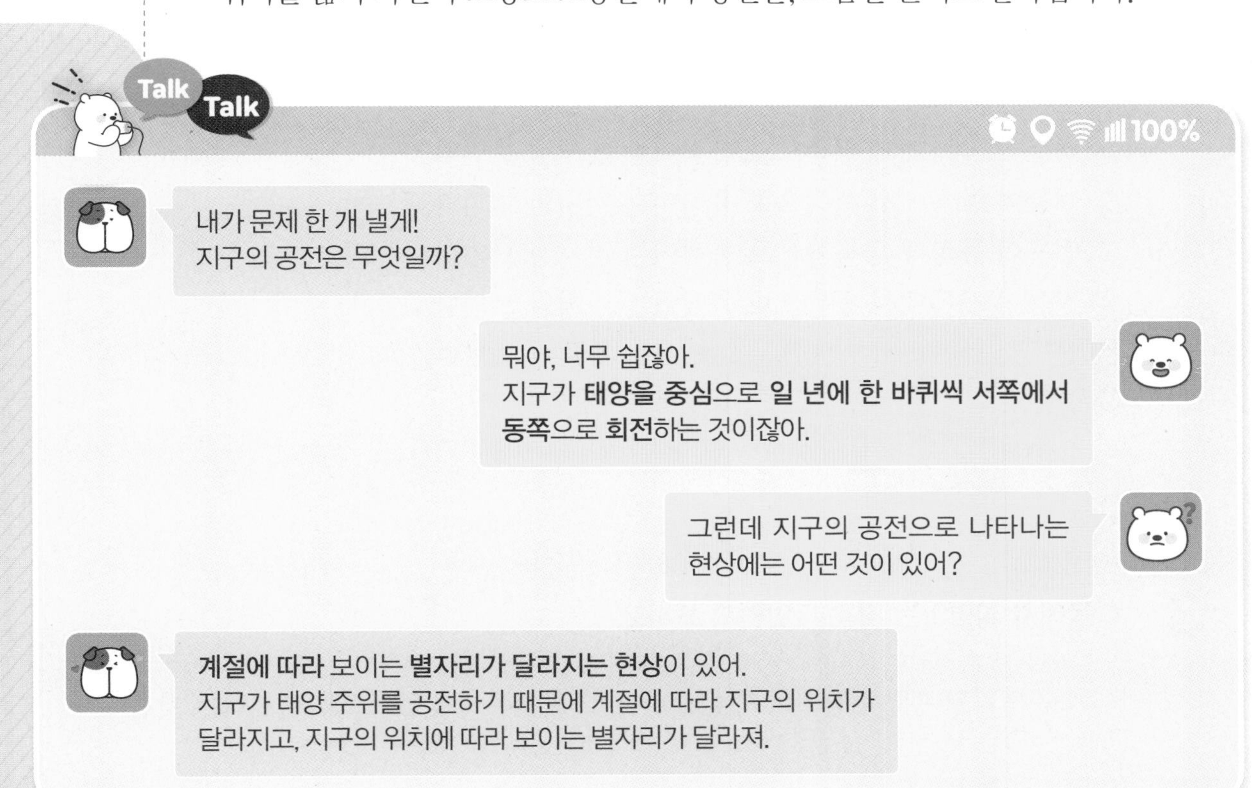

1 주

1일 지구의 자전

[1~2] 다음은 하루 동안 지구의 움직임을 알아보는 실험의 모습입니다. 물음에 답하시오.

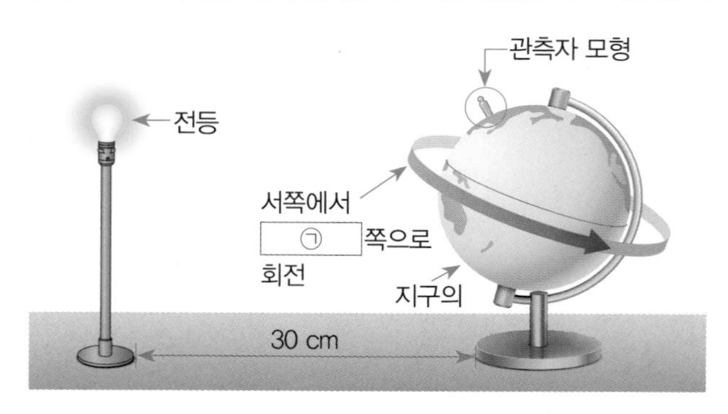

1 다음 중 위에서 ㉠에 들어갈 방위로 옳은 것은 어느 것입니까? (　　　)

① 남　② 동　③ 북
④ 남서　⑤ 북서

2 위와 같이 지구의를 회전시켰을 때 지구의 위에 있는 관측자 모형에게 전등이 움직이는 것처럼 보이는 방향으로 옳은 것은 어느 것입니까? (　　　)

① 전등이 남쪽에서 동쪽으로 움직이는 것처럼 보인다.
② 전등이 동쪽에서 서쪽으로 움직이는 것처럼 보인다.
③ 전등이 동쪽에서 북쪽으로 움직이는 것처럼 보인다.
④ 전등이 서쪽에서 동쪽으로 움직이는 것처럼 보인다.
⑤ 전등이 서쪽에서 남쪽으로 움직이는 것처럼 보인다.

3 다음에서 설명하는 것은 무엇인지 쓰시오.

> 지구가 자전축을 중심으로 하루에 한 바퀴씩 서쪽에서 동쪽으로 회전하는 것입니다.

(　　　　　　　　)

2일 하루 동안 태양과 달의 위치 변화

4 다음 중 하루 동안 태양과 달의 위치 변화로 옳은 것은 어느 것입니까? (　　　　)

① 동쪽 → 남쪽 → 서쪽
② 동쪽 → 북쪽 → 남쪽
③ 남쪽 → 북쪽 → 동쪽
④ 서쪽 → 동쪽 → 북쪽
⑤ 서쪽 → 북쪽 → 남쪽

5 다음 낮과 밤이 생기는 까닭을 알아보는 실험에서 우리나라(관측자 모형을 붙인 위치)가 낮인 때인 것을 골라 기호를 쓰시오.

㉠
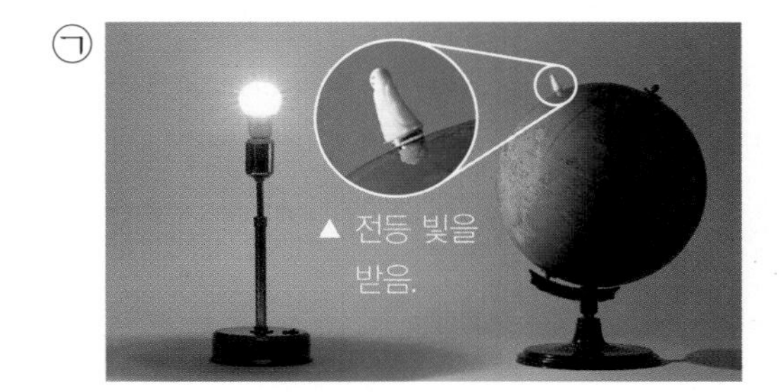

㉡

(　　　　　　　　)

6 다음은 지구에 낮과 밤이 생기는 까닭에 대한 설명입니다. □ 안에 들어갈 알맞은 말을 쓰시오.

> 지구가 자전하면서 □ 빛을 받는 쪽과 받지 못하는 쪽이 생기기 때문입니다.

(　　　　　　　　)

3일 지구의 공전

7 다음은 지구가 공전할 때 나타나는 현상입니다. (　) 안의 알맞은 말에 ○표를 하시오.

> 지구가 공전하면 지구의 위치가 달라지고, 지구의 위치에 따라 우리나라가 한밤일 때 향하는 방향이 달라지므로 보이는 별자리의 모습이 (같아 / 달라)집니다.

서술형

8 오른쪽은 지구가 공전하는 모습을 나타낸 것입니다. 지구의 공전은 무엇인지 쓰시오.

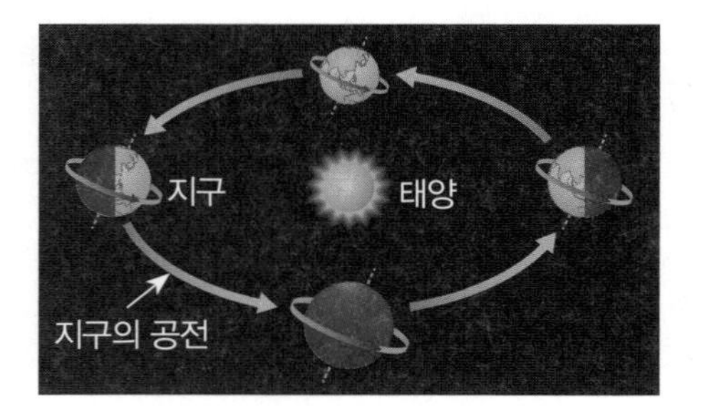

____

____

9 다음 보기에서 봄철에 볼 수 없는 별자리를 골라 기호를 쓰시오.

보기
㉠ 여름철 대표적인 별자리
㉡ 가을철 대표적인 별자리
㉢ 겨울철 대표적인 별자리

(　　　　　　　　)

10 다음 중 계절에 따라 보이는 별자리가 달라지는 까닭으로 옳은 것은 어느 것입니까? (　　　)

① 지구가 자전하기 때문이다.
② 지구가 스스로 빛을 내기 때문이다.
③ 지구에 육지와 바다가 있기 때문이다.
④ 달이 지구 주위를 회전하기 때문이다.
⑤ 지구가 태양 주위를 공전하기 때문이다.

4일 달의 모양과 위치 변화

11 다음 중 달의 모양이 변하는 주기로 옳은 것은 어느 것입니까? (　　　)

① 약 10일　② 약 15일　③ 약 30일
④ 약 60일　⑤ 약 1년

12 다음 중 음력 2~3일 무렵에 볼 수 있는 초승달은 어느 것입니까? (　　　　)

①  ②  ③ 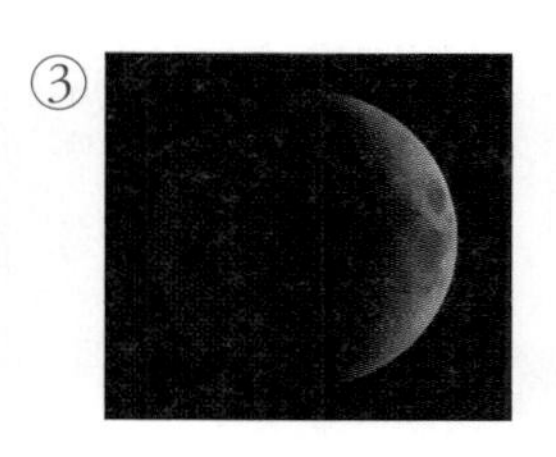 ④ 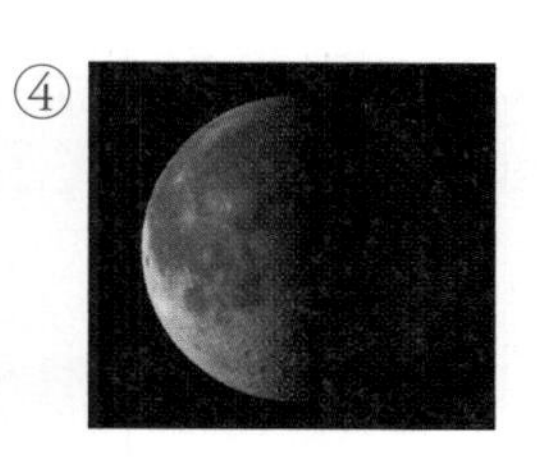

13 다음은 여러 날 동안 태양이 진 직후(7시 무렵)에 관측한 달의 위치 변화에 대한 설명입니다. ㉠, ㉡에 들어갈 알맞은 말을 각각 쓰시오.

> 여러 날 동안 같은 시각에 관측한 달의 위치는 [㉠]쪽에서 [㉡]쪽으로 날마다 조금씩 옮겨 가면서 그 모양도 달라집니다.

㉠ (　　　　　　　　　　) ㉡ (　　　　　　　　　　)

똑똑한 하루 퀴즈

14 다음 십자말풀이를 해 보세요.

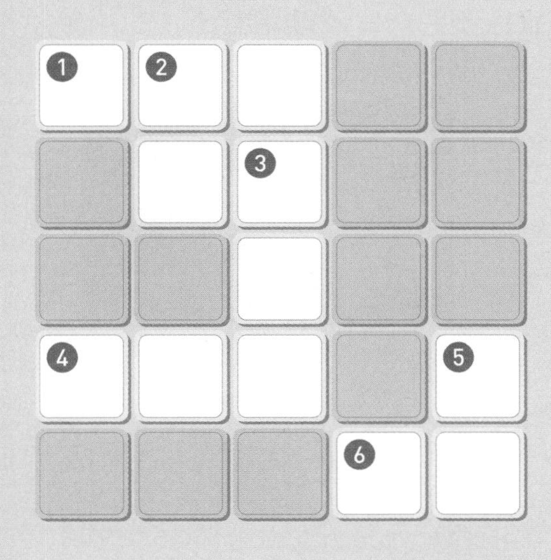

가로

1. 지구의 북극과 남극을 이은 가상의 직선
4. 음력 27~28일 무렵에 보이는 달
6. 지구가 태양을 중심으로 일 년에 한 바퀴씩 회전하는 것. 지구의 □□

세로

2. 하루 동안 지구의 움직임을 나타내는 실험에서 지구의는 지구를 나타내고, □□은 태양을 나타냄.
3. 음력 15일 무렵에 보이는 공처럼 둥근 달
5. 지구가 자전축을 중심으로 하루에 한 바퀴씩 회전하는 것. 지구의 □□

누구나 100점 TEST

맞은 개수 /10개

1 다음 중 하루 동안 지구의 움직임을 알아보는 실험에 대한 설명으로 옳은 것은 어느 것입니까? (　　　)

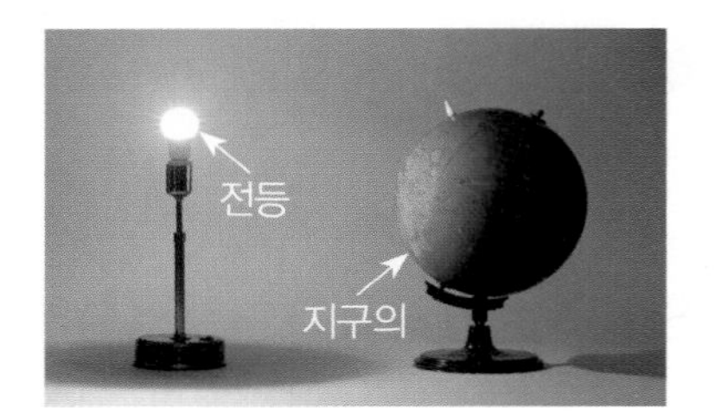

① 전등은 지구를 나타낸다.
② 지구의는 회전시키지 않는다.
③ 전등을 지구의 주위로 회전시킨다.
④ 지구의 자전에 대해 알아보는 실험이다.
⑤ 지구의는 동쪽에서 서쪽으로 회전시킨다.

2 다음은 지구의 자전에 대한 설명입니다. ㉠, ㉡에 들어갈 알맞은 말을 각각 쓰시오.

> 지구가 자전축을 중심으로 하루에 한 바퀴씩 [㉠]쪽에서 [㉡]쪽으로 회전하는 것입니다.

㉠ (　　　　　　) ㉡ (　　　　　　)

3 오른쪽은 지구의 자전 모습을 나타낸 것입니다. 지구 자전의 중심인 ㉠은 무엇인지 쓰시오.

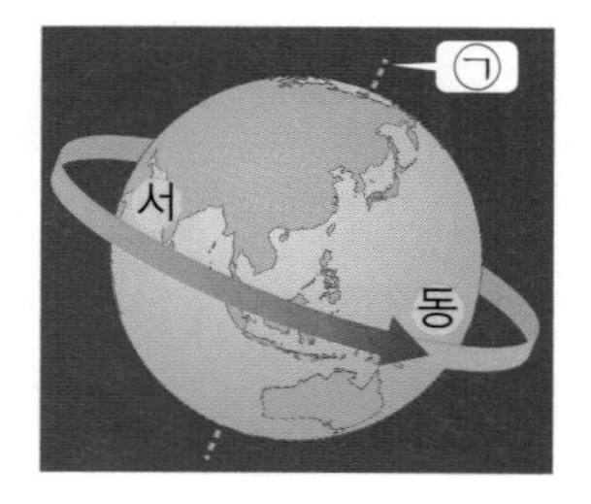

(　　　　　　)

4 다음은 하루 동안 태양의 위치 변화를 나타낸 것입니다. ㉠, ㉡의 시간을 바르게 짝지은 것은 어느 것입니까? (　　　)

	㉠	㉡
①	오전 10시	오후 12시 30분
②	오후 6시	오후 12시 30분
③	오후 6시	밤 10시
④	오후 12시 30분	오후 6시
⑤	오후 12시 30분	오전 10시

5 다음은 지구의에 전등을 비추고 회전시키는 모습입니다. 이 실험에 대한 설명으로 옳지 않은 것은 어느 것입니까? (　　　)

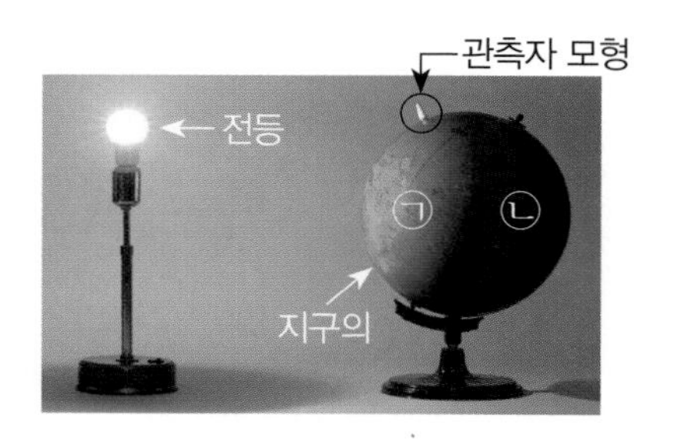

① ㉠ 위치는 낮이다.
② ㉡ 위치는 밤이다.
③ 전등은 태양을 나타낸다.
④ 관측자 모형이 있는 위치는 낮이다.
⑤ 지구의를 회전시켜도 낮과 밤은 바뀌지 않는다.

[6~7] 다음은 지구의 공전을 나타낸 것입니다. 물음에 답하시오.

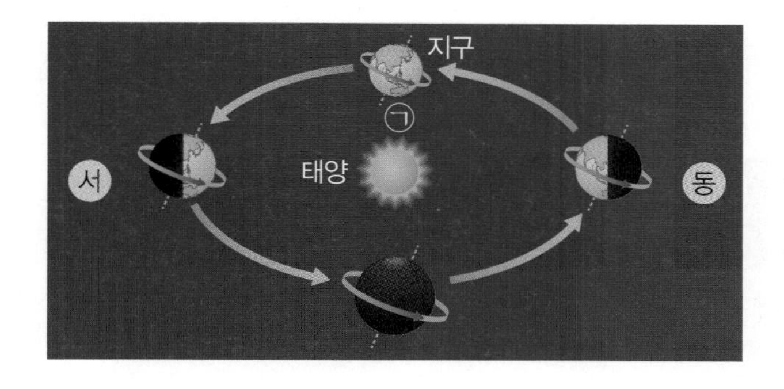

6 다음 중 위에서 지구가 ㉠ 위치에서 다시 ㉠ 위치로 돌아오는 데 걸리는 시간으로 옳은 것은 어느 것입니까? (　　　)

① 한 시간　② 하루
③ 일주일　④ 한 달
⑤ 일 년

7 다음 보기에서 위 지구의 공전 방향으로 옳은 것을 골라 기호를 쓰시오.

보기
㉠ 동쪽 → 서쪽　㉡ 동쪽 → 남쪽
㉢ 서쪽 → 동쪽　㉣ 서쪽 → 북쪽

(　　　　　　　　)

8 다음은 계절에 따라 보이는 별자리가 달라지는 까닭에 대한 설명입니다. (　) 안의 알맞은 말에 ○표를 하시오.

지구가 태양 주위를 (공전 / 자전)하기 때문에 계절에 따라 지구의 위치가 달라지고, 밤에 보이는 별자리가 달라집니다.

9 다음 중 달의 이름이 옳은 것은 어느 것입니까? (　　　)

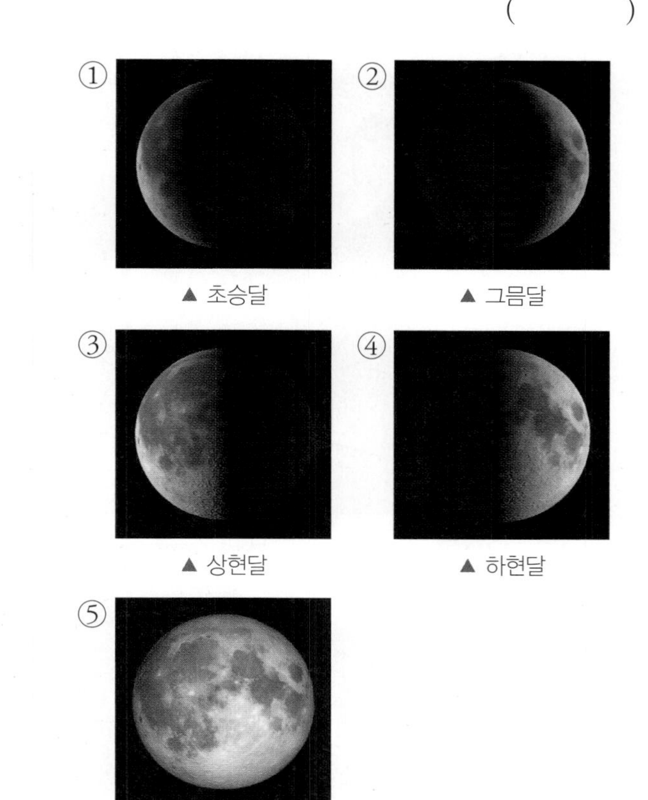

① ▲ 초승달　② ▲ 그믐달
③ ▲ 상현달　④ ▲ 하현달
⑤ ▲ 보름달

10 다음은 여러 날 동안 태양이 진 직후 같은 시각, 같은 장소에서 달의 위치를 관찰한 결과입니다. ㉠~㉢에 알맞은 방위를 각각 쓰시오.

㉠ (　　　　　　)
㉡ (　　　　　　)
㉢ (　　　　　　)

생활 속 과학

문제를 풀고 길을 따라가면서 별자리에 대해 알아봅니다.

계절에 따라 달라지는 별자리

하루 상식 ★★★☆☆

봄철에는 봄철 별자리만 볼 수 있을까?

어느 계절에 보이는 시간이 긴 별자리를 그 계절의 대표적인 별자리라고 합니다. 목동자리, 처녀자리, 사자자리 등은 봄철의 대표적인 별자리이고, 백조자리, 독수리자리, 거문고자리 등은 여름철, 물고기자리, 안드로메다자리, 페가수스자리 등은 가을철, 쌍둥이자리, 큰개자리, 오리온자리 등은 겨울철 별자리입니다.

그런데 봄철 별자리는 봄에만 볼 수 있을까요? 그렇지 않습니다. 사자자리는 저녁 9시 무렵 겨울에 동쪽 하늘에서 볼 수 있고, 여름에는 서쪽 하늘에서 볼 수 있습니다.

이처럼 별자리들은 한 계절에만 보이는 것이 아니라, 두 계절이나 세 계절에 걸쳐서 보입니다.

1 다음 우주 여행에서 각 문제에 알맞은 낱말을 고르면서 길을 따라가 여행의 최종 목적지에 ○표를 하세요.

사고 쑥쑥

문제를 풀며 지구의 운동과 그에 따른 현상을 살펴봅니다.

2 다음 그림에서 문제의 답에 해당하는 낱말을 찾고, 번호 순서대로 답의 별을 선으로 이었을 때 나타나는 별자리의 이름을 쓰세요.

( )자리

선을 그려 보면서 달의 모양과 각 달을 볼 수 있는 때를 알아봅니다.

3 다음 달 모양과 달을 볼 수 있는 음력 날짜를 찾아 가려진 부분의 선을 그려 보세요.

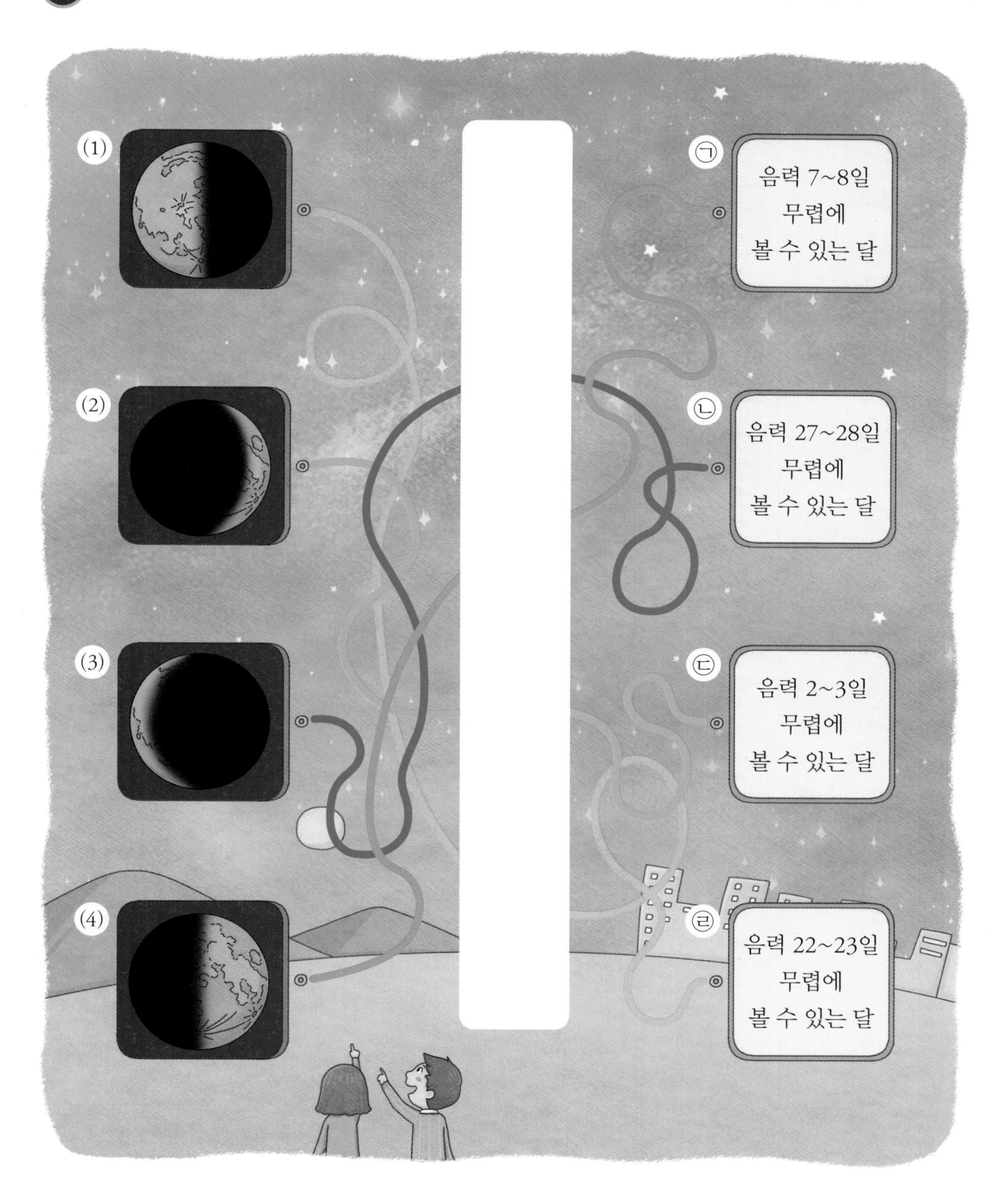

창의·융합·코딩

논리 탄탄

길을 따라 문제를 풀면서 지구의 운동과 관련된 내용을 알아봅니다.

4 다음 질문에 알맞은 대답을 찾아 화살표로 가는 길을 표시해 보세요.

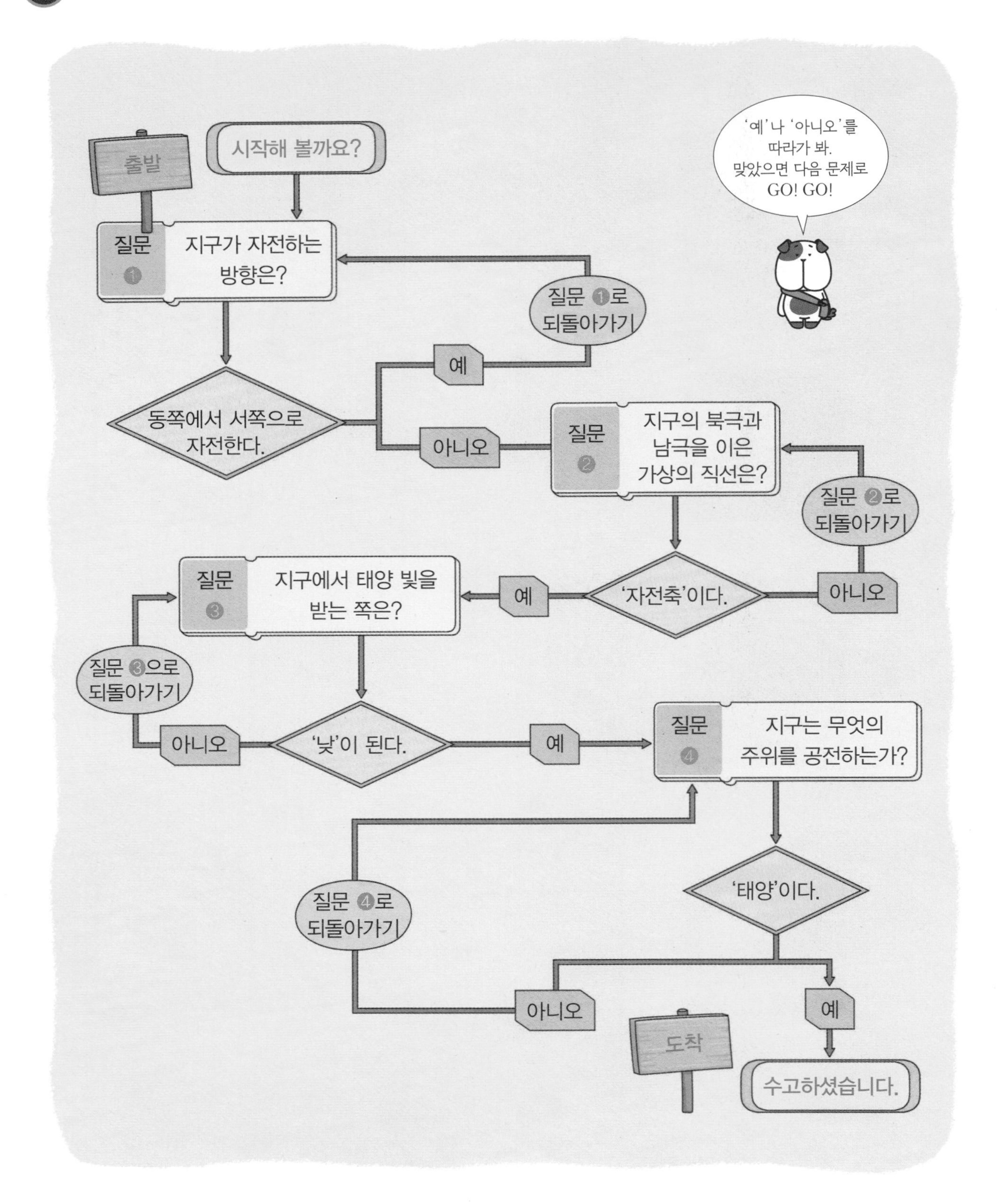

5 다음 만화를 보고 빈칸에 들어갈 말과 숫자, 기호를 쓰세요.

(1) 위에서 ㉠, ㉡에 들어갈 알맞은 말을 각각 쓰시오.

㉠ (　　　　　　　　　　) ㉡ (　　　　　　　　　　)

(2) 다음에서 위 (1)번 답의 자음과 모음과 관련 있는 숫자를 찾아 달이 뜨는 음력 날짜를 각각 쓰시오.

암호 해독표

ㄱ	ㄴ	ㄷ	ㄹ	ㅁ	ㅂ	ㅅ	ㅇ	ㅈ	ㅊ	ㅋ	ㅌ	ㅍ	ㅎ
A	1	31	7	6	3	S	D	12	K	W	4	Z	22

ㅏ	ㅑ	ㅓ	ㅕ	ㅗ	ㅛ	ㅜ	ㅠ	ㅡ	ㅣ	ㅐ	ㅒ	ㅔ	ㅖ
~	C	G	+	×	14	5	J	−	D	2	U	9	H

㉠ 달이 보이는 음력 날짜	(가)	㉡ 달이 보이는 음력 날짜	(나)

2주 여러 가지 기체

이번 주에는 무엇을 공부할까? 1

여러 가지 기체

산소

이산화 탄소

기체의 부피와 압력

기체의 부피와 온도

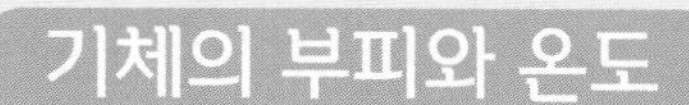

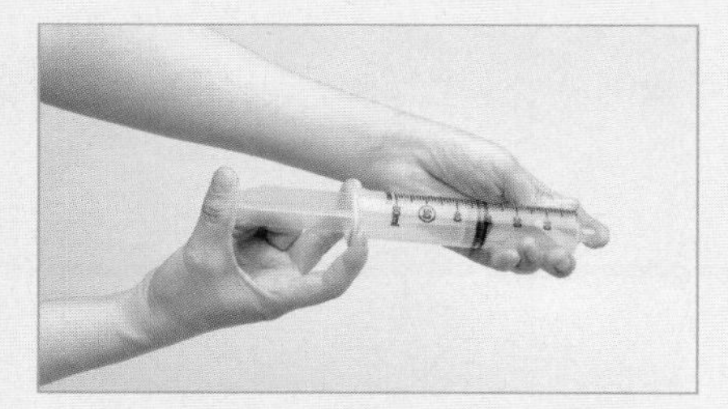

▲ 압력을 가하면 기체의 부피가 작아짐.

기체의 부피는 온도와 압력의 변화에 따라 달라져.

▲ 온도를 높이면 기체의 부피가 커짐.

생활 속에서 이용되는 여러 가지 기체를 알고, 기체는 압력과 온도에 따라 부피가 달라진다는 것 꼭 기억해!

핵심 용어

2주 이번 주에는 무엇을 공부할까? ②

산소

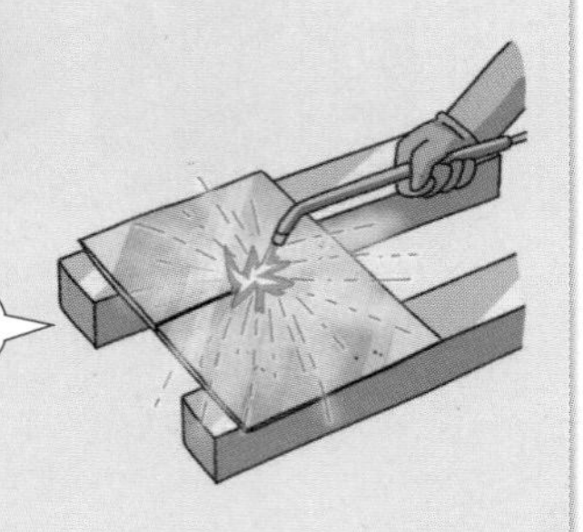

뜻 **색깔과 냄새가 없는 기체로, 다른 물질이 타는 것을 도우며, 생명 유지와 관련된 일에 이용됨.**

예 높은 온도의 불을 만들기 위해 금속을 자를 때 **산소**를 이용해요.

잠수부

潛 水 夫

잠길 잠 물 수 일군 부

뜻 **물속에 잠겨 들어가는 일을 전문으로 하는 사람**

예 **잠수부**들이 산소통을 메고 바닷속으로 들어갔어요.

이산화 탄소

뜻 **물질이 타는 것을 막고, 탄산음료, 소화기 등을 만드는 데 쓰임.**

예 **이산화 탄소**는 탄산음료의 톡 쏘는 맛을 내는 데 이용돼요.

소화기

消 火 器

사라질 소 불 화 그릇 기

뜻 **불을 끄는 기구**

예 화재에 대비하여 각 가정에서도 **소화기**를 비치해 두어야 해요.

기체와 관련된 다양한 용어가 있어.
특히 산소, 이산화 탄소 등의 용어는 꼭 기억해!

드라이아이스

뜻 **이산화 탄소를 압축, 냉각하여 만든 흰색 고체로, 아이스크림 등을 녹지 않게 보관하는 데 이용함.**

예 음식을 차갑게 보관하는 데 **드라이아이스**가 이용돼요.

석회수

뜻 **수산화 칼슘을 물에 녹인 무색투명한 액체. 이산화 탄소와 만나면 뿌옇게 흐려짐.**

예 **석회수**에 이산화 탄소를 불어 넣으면 투명하던 석회수가 뿌옇게 돼요.

압력

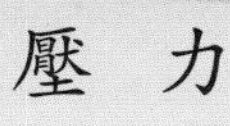
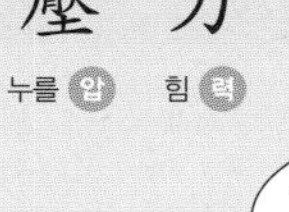

뜻 **단위 넓이에 수직으로 작용하는 힘의 크기**

예
- 높은 산 위보다 산 아래의 **압력**이 높아요.
- **압력**을 세게 가했더니 고무풍선이 터졌어요.

산소의 성질과 이용

여러 가지 기체를 직접 만들어 볼까?

용어 체크

기체 발생 장치

깔때기, 고무관, 가지 달린 삼각 플라스크, 집기병 등의 기구를 이용하여 기체를 발생시킬 수 있도록 만든 장치

예 ❶ ______ 로 산소나 이산화 탄소 기체를 발생시킬 수 있다.

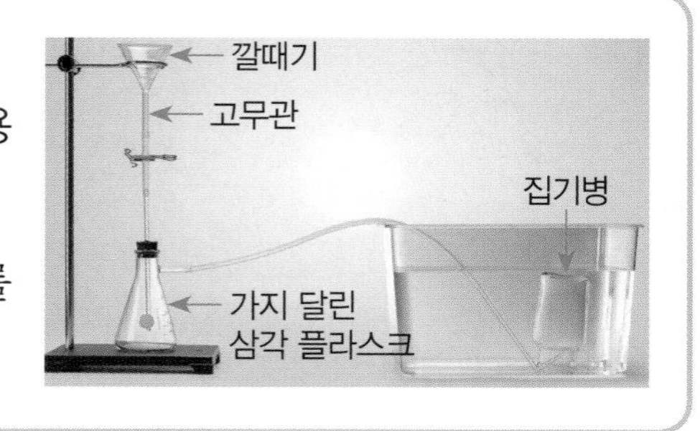

정답 ❶ 기체 발생 장치

숨 쉬는 것 말고 산소가 또 어디에 이용되지?

용어 체크

산소

색깔과 냄새가 없는 기체로, 다른 물질이 타는 것을 도우며, 생명 유지와 관련된 일에 이용됨.

예 공기 중에 ❶ [ ] 가 없다면 우리는 숨을 쉴 수 없다.

잠수부

물속에 잠겨 들어가는 일을 전문으로 하는 사람

예 ❷ [ ] 가 물속에서 숨을 쉬기 위해 메는 압축 공기통에는 산소가 들어 있다.

정답 ❶ 산소 ❷ 잠수부

실험 동영상

1 산소는 어떻게 발생시킬까?

기체 발생 장치

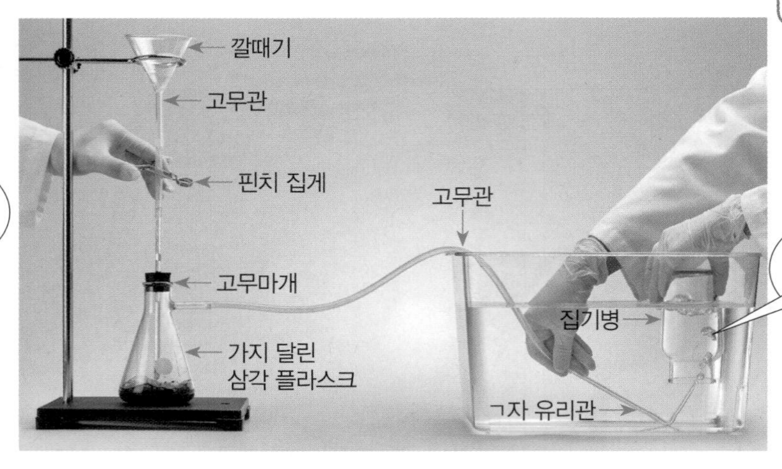

산소 발생시키기

❶ 물을 조금 넣은 뒤 **이산화 망가니즈**를 한 숟가락 넣기

❷ **묽은 과산화 수소수**를 깔때기에 $\frac{1}{2}$ 정도 붓기

❸ 핀치 집게를 조절하여 묽은 과산화 수소수를 조금씩 흘려 보내기

❹ 산소가 가득 차면 물속에서 유리판으로 집기병 입구를 막아 집기병 꺼내기

가지 달린 삼각 플라스크에 물과 ❶(이산화 망가니즈 / 묽은 과산화 수소수)를 넣고, ❷(묽은 과산화 수소수 / 이산화 망가니즈)를 조금씩 흘려 보냅니다.

2 산소는 어떤 성질을 가지고 있을까?

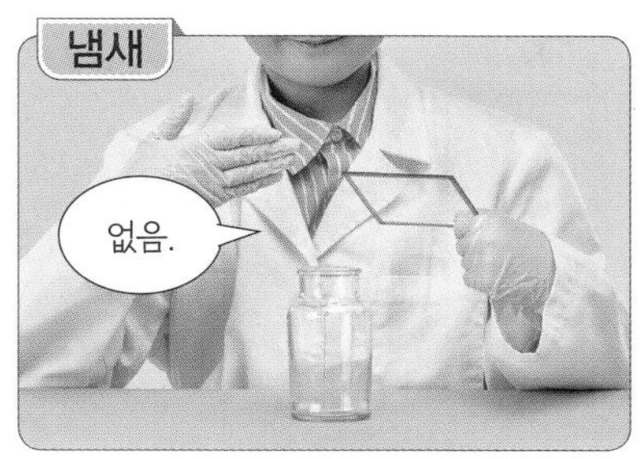

색깔과 냄새가 없고, 산소가 든 집기병에 향불을 넣으면 향불의 불꽃이 ③(커 / 작아)집니다.

3 산소는 어디에 이용될까?

▲ 금속을 자르거나 붙일 때

▲ 압축 공기통

▲ 응급 환자의 산소 호흡 장치

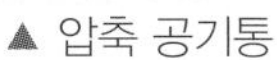

높은 온도의 불을 만들거나 숨을 쉬는 데 이용돼.

잠수부가 물속에서 숨을 쉴 때 필요한 압축 공기통에 들어 있는 기체는 ④(수소 / 산소)입니다.

정답 ❶ 이산화 망가니즈 ❷ 묽은 과산화 수소수 ❸ 커 ❹ 산소

개념 체크

정답과 풀이 5쪽

1 기체 발생 장치에서 물을 가득 채운 집기병을 수조에 □□□ 세웁니다.

2 산소는 색깔과 냄새가 □습니다.

3 높은 온도의 불을 만들 때 이용되는 기체는 □□입니다.

보기
- 있
- 없
- 산소
- 질소
- 똑바로
- 거꾸로

1일 **개념 확인하기**

○ 정답과 풀이 5쪽 빠른 정답 보기

1 다음 중 기체 발생 장치를 만들 때 필요한 준비물이 아닌 것은 어느 것입니까? (　　　)

① 깔때기　② 집기병　③ 핀치 집게
④ 알코올램프　⑤ 가지 달린 삼각 플라스크

2 오른쪽과 같이 기체 발생 장치를 꾸며 산소를 발생시키는 실험에서 깔때기에 부어야 하는 물질을 쓰시오.

(　　　　　　　)

3 오른쪽은 서로 다른 기체를 넣은 두 집기병에 향불을 넣어 본 모습입니다. 산소가 들어 있는 집기병의 기호를 쓰시오.

㉠ 
▲ 향불이 커짐.

㉡ 
▲ 향불이 꺼짐.

(　　　　　　　)

4 오른쪽과 같은 응급 환자의 호흡 장치에 이용되는 기체는 어느 것입니까? (　　　)

① 수소　② 산소
③ 질소　④ 네온
⑤ 이산화 탄소

▲ 호흡 장치

5 다음 중 산소에 대해 틀리게 설명한 친구의 이름을 쓰시오.

윤미 : 색깔과 냄새가 없어.
경훈 : 향불을 넣으면 불꽃이 꺼져.
문희 : 우리가 숨 쉬는데 꼭 필요한 기체야.

( )

집중 연습 문제 산소의 성질과 이용

6 다음 중 산소의 성질로 옳은 것을 두 가지 고르시오. (,)

① 색깔이 없다.
② 옅은 갈색을 띤다.
③ 물질을 차갑게 만든다.
④ 자극적인 냄새가 난다.
⑤ 물질이 타는 것을 돕는다.

- 색깔이 ◯다.
- 냄새가 ◯다.
- 물질이 타는 것을 ◯는다.

7 다음 보기에서 산소가 생명 유지와 관련되어 이용되는 경우로 옳은 것을 골라 기호를 쓰시오.

보기
㉠ 다른 물질을 잘 타게 도와줍니다.
㉡ 금속을 자르거나 붙일 때 이용합니다.
㉢ 응급 환자의 산소 호흡 장치에 들어 있습니다.

( )

산소가 없으면 숨을 쉴 수 없어.

2일 이산화 탄소의 성질과 이용

이산화 탄소로 불을 끌 수 있어!

용어 체크

이산화 탄소
물질이 타는 것을 막고, 탄산음료, 소화기 등을 만드는 데 쓰임.

예 탄산음료에는 ❶ [   ] 가 녹아 있어 톡 쏘는 맛이 난다.

소화기
불을 끄는 기구

예 실험실에서 불이 나서 ❷ [   ] 로 불을 껐다.

정답 ❶ 이산화 탄소 ❷ 소화기

아이스크림을 녹지 않게 하려면?

용어 체크

드라이아이스

이산화 탄소를 압축·냉각하여 만든 흰색 고체로, 아이스크림 등을 녹지 않게 보관하는 데 이용함.

예 점원이 아이스크림이 녹지 않도록 ❶ (　　　　) 를 담아 포장해 주었다.

석회수

수산화 칼슘을 물에 녹인 무색투명한 액체. 이산화 탄소와 만나면 뿌옇게 흐려짐.

예 이산화 탄소 기체는 ❷ (　　　　) 를 뿌옇게 흐리게 한다.

정답 ❶ 드라이아이스 ❷ 석회수

2일 개념 익히기

1 이산화 탄소는 어떻게 발생시킬까?

이산화 탄소 발생시키기

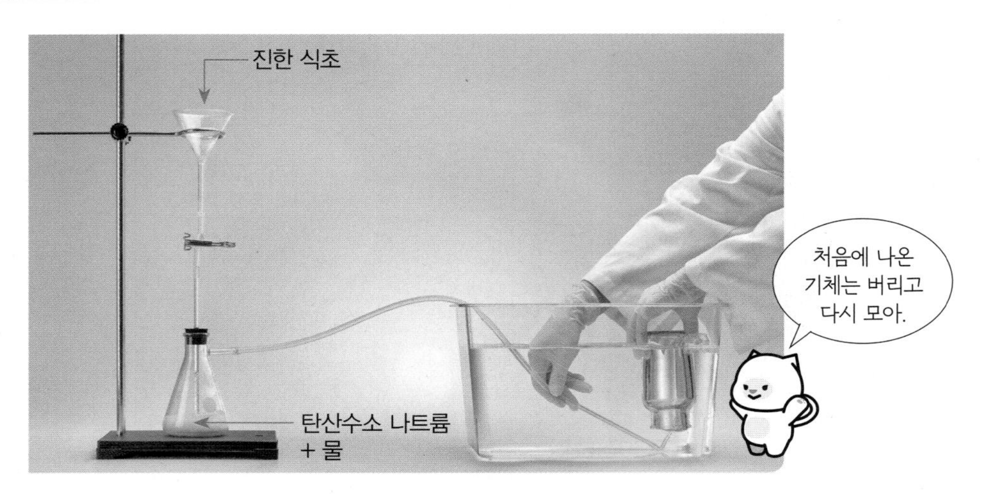

❶ 가지 달린 삼각 플라스크에 물을 조금 넣은 뒤 **탄산수소 나트륨** 넣기

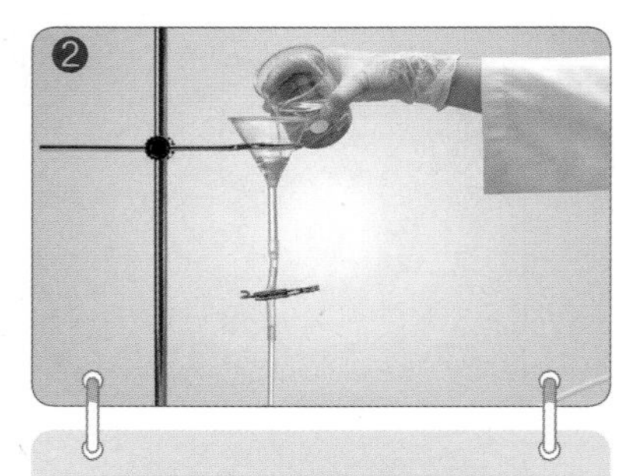

❷ **진한 식초**를 $\frac{1}{2}$정도 붓고, 핀치 집게를 조절하여 진한 식초를 조금씩 흘려 보내기

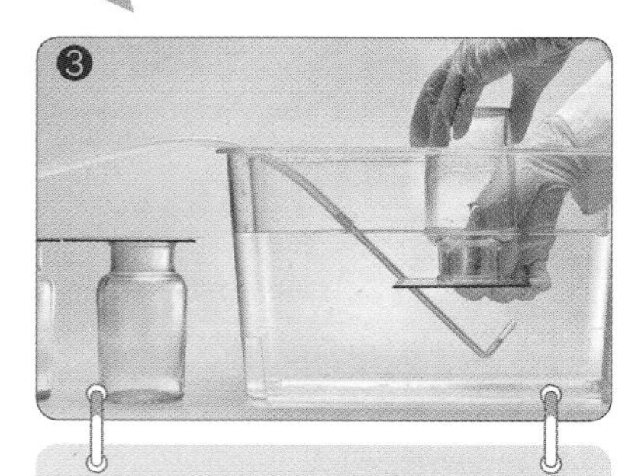

❸ 이산화 탄소가 집기병에 가득 차면 물속에서 유리판으로 집기병 입구를 막고 꺼내기

☑ 가지 달린 삼각 플라스크에 물과 ❶(탄산수소 나트륨 / 진한 식초)을/를 넣고, ❷(진한 식초 / 탄산수소 나트륨)을/를 조금씩 흘려 보냅니다.

2 이산화 탄소는 어떤 성질을 가지고 있을까?

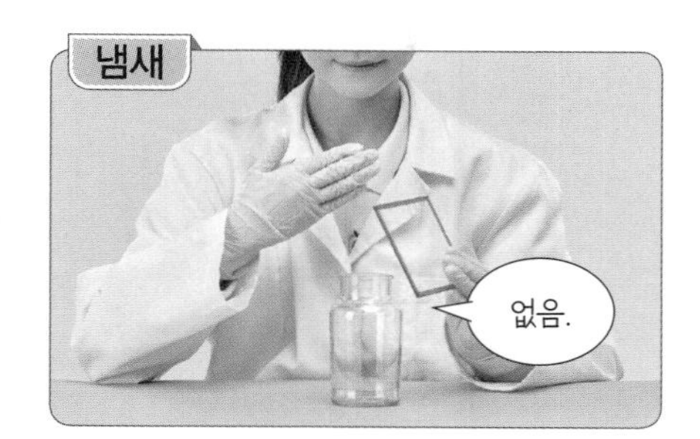

☑ 색깔과 냄새가 없고, 석회수를 뿌옇게 만들며, 이산화 탄소를 모은 집기병에 향불을 넣으면 향불이 ❸(꺼집 / 잘 탑)니다.

3 이산화 탄소는 어디에 이용될까?

▲ 탄산음료

▲ 소화기

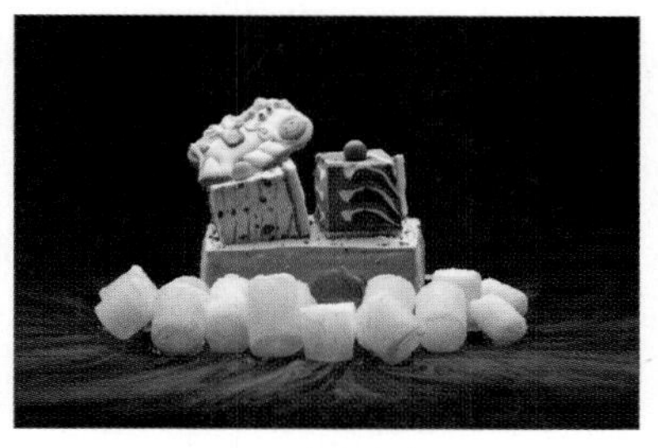
▲ 드라이아이스

☑ 이산화 탄소는 물질이 타는 것을 ❹(돕는 / 막는) 성질이 있어 소화기로 이용됩니다.

정답 ❶ 탄산수소 나트륨 ❷ 진한 식초 ❸ 꺼집 ❹ 막는

개념 체크

정답과 풀이 5쪽

1 이산화 탄소를 발생시킬 때 깔때기에 넣어 주는 물질은 진한 ☐☐입니다.

2 이산화 탄소가 든 집기병에 ☐☐☐을/를 넣으면 뿌옇게 됩니다.

3 ☐☐음료의 톡 쏘는 맛을 내는 데 이산화 탄소가 이용됩니다.

보기
- 식초
- 기름
- 탄산
- 우유
- 사이다
- 석회수

개념 확인하기

정답과 풀이 5쪽

[1~2] 다음은 기체 발생 장치를 꾸며 이산화 탄소를 발생시키는 모습입니다. 물음에 답하시오.

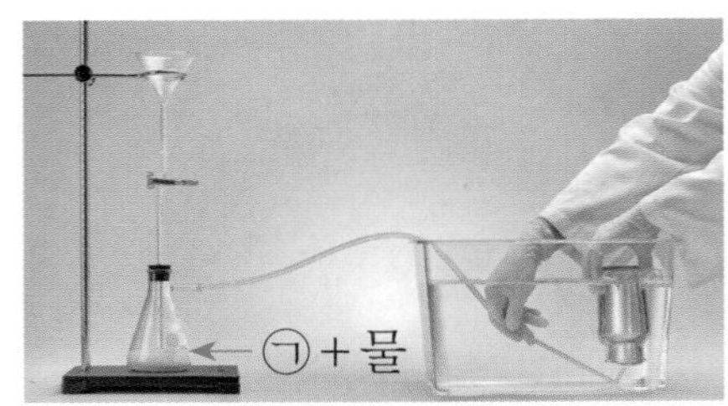

1 위 기체 발생 장치로 이산화 탄소를 발생시킬 때 ㉠에 물과 함께 넣어야 하는 물질이 무엇인지 쓰시오.

( )

2 위 장치에서 이산화 탄소를 모으는 방법으로 옳지 않은 것을 보기에서 골라 기호를 쓰시오.

보기
㉠ 처음에 나온 기체는 버리고 다시 모읍니다.
㉡ 집기병에 공기를 채운 뒤 물이 든 수조에 거꾸로 넣습니다.
㉢ 물속에서 유리판으로 집기병의 입구를 막고 집기병을 꺼냅니다.

( )

3 다음은 이산화 탄소의 성질에 대한 설명입니다. 옳은 것에는 ○표, 옳지 않은 것에는 ×표를 하시오.

(1) 색깔과 냄새가 없습니다. ( )
(2) 다른 물질이 타는 것을 돕습니다. ( )
(3) 석회수에 넣으면 뿌옇게 흐려집니다. ( )

4 오른쪽과 같은 탄산음료를 컵에 따랐을 때 볼 수 있는 기체는 어느 것입니까? ( )

① 수소 ② 산소 ③ 질소
④ 헬륨 ⑤ 이산화 탄소

5 다음 중 이산화 탄소가 이용되는 예로 옳지 않은 것의 기호를 쓰시오.

㉠

▲ 압축 공기통

㉡

▲ 소화기

(   )

6 오른쪽은 생활 속에서 이산화 탄소를 이용하는 예입니다. 음식을 차갑게 보관하는 데 필요한 ㉠의 이름으로 옳은 것에 ○표를 하시오.

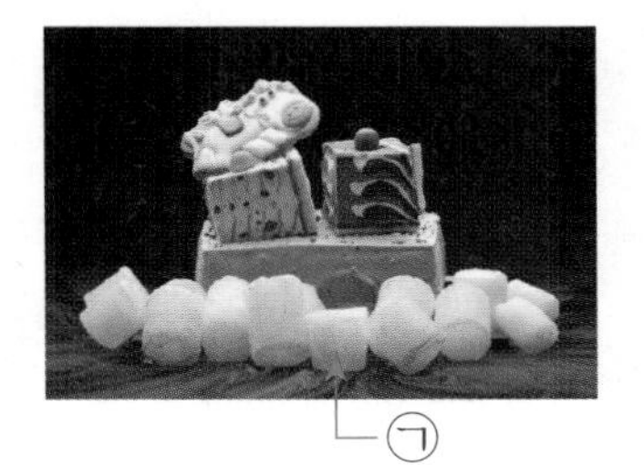
㉠

눈 / 얼음 / 드라이아이스

똑똑한 하루 퀴즈

7 다음 □ 안에 들어갈 알맞은 낱말을 말 상자에서 찾아 모두 ○표를 하세요. 말 상자의 낱말은 가로, 세로, 대각선에 숨어 있어요.

물	감	★	식
소	이	초	질
화	석	★	잎
기	열	회	화
산	★	타	수

1. 탄산수소 나트륨과 진한 □□가 만나면 이산화 탄소 기체가 발생함.
2. 이산화 탄소를 □□□에 넣으면 뿌옇게 흐려짐.
3. 이산화 탄소는 물질이 타는 것을 막는 □□□에 이용됨.

3일 기체의 부피와 압력

압력이 낮아지면 풍선이 터진다고?

용어 체크

압력

단위 넓이에 수직으로 작용하는 힘의 크기

예 기체는 ❶ ______ 을 가한 정도에 따라 부피가 달라진다.

壓	力
누를	힘
압	력

정답 ❶ 압력

주사기의 피스톤을 이용해 의자를 개량했어!

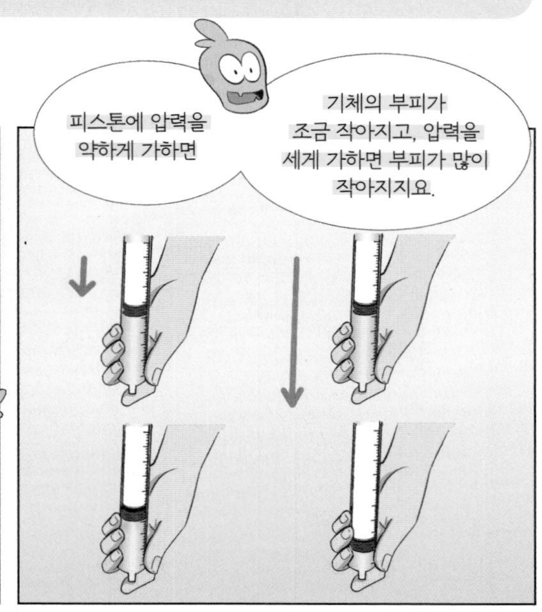

용어 체크

피스톤

주사기에서 왕복 운동을 하는 원판형 또는 원통형의 부품

예 주사기의 ❶ [ ] 을 누르면 주사기 안 공기의 부피가 작아진다.

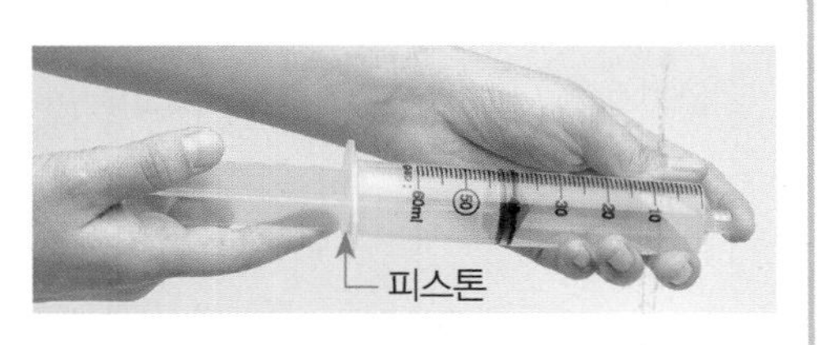

정답 ❶ 피스톤

3일 개념 익히기

▶ 실험 동영상

1 압력의 변화에 따른 기체의 부피 변화를 관찰해 볼까?

공기가 든 주사기의 입구를 막고 피스톤을 누를 때

약하게 누를 때

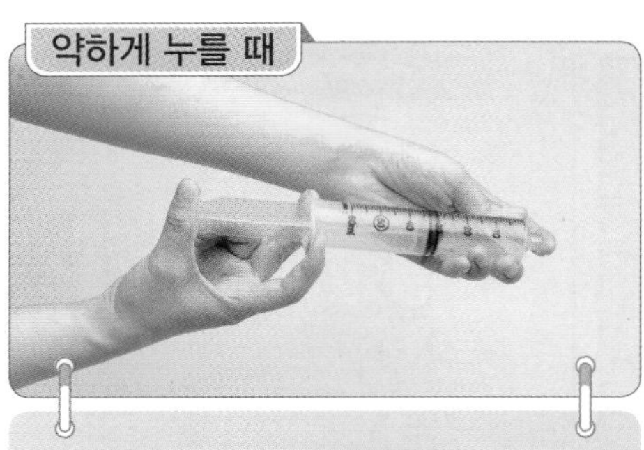

- 피스톤이 조금 들어감.
- 공기의 부피가 약간 작아짐.

세게 누를 때

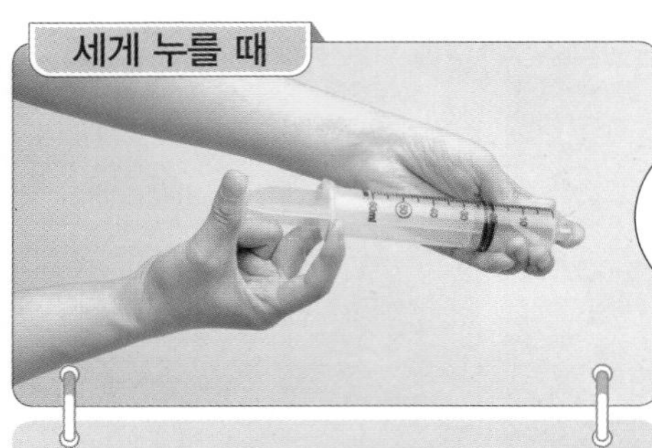

- 피스톤이 많이 들어감.
- 공기의 부피가 많이 작아짐.

피스톤을 약하게 누르면 공기의 부피가 조금 줄어 들고, 세게 누르면 공기의 부피가 많이 줄어들어.

기체는 압력을 가한 정도에 따라 **부피가 달라짐.**

물이 든 주사기 입구를 막고 피스톤을 누를 때

약하게 누를 때

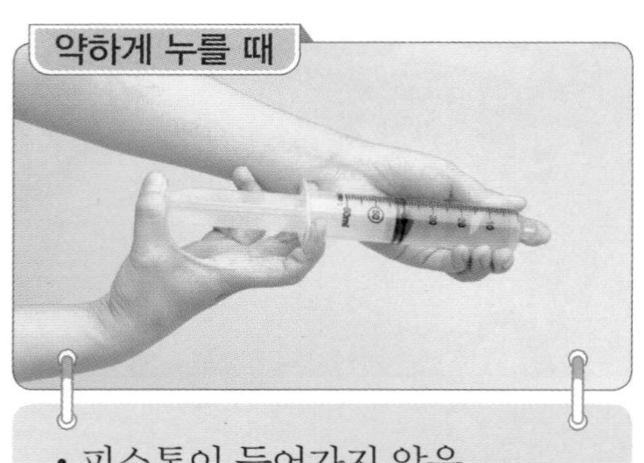

- 피스톤이 들어가지 않음.
- 물의 부피가 변하지 않음.

세게 누를 때

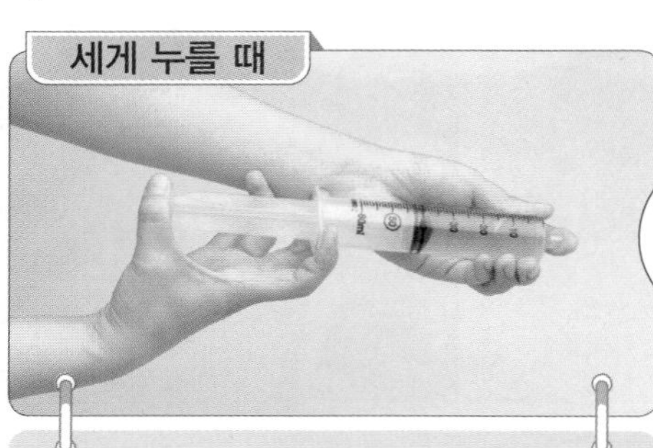

- 피스톤이 들어가지 않음.
- 물의 부피가 변하지 않음.

피스톤을 약하게 누르거나 세게 눌러도 물의 부피는 거의 변하지 않아.

액체는 압력을 가해도 **부피가 거의 변하지 않음.**

☑ 기체에 압력을 세게 가하면 부피가 ❶(적게 / 많이) 작아집니다.

2 생활 속에서 압력에 따라 기체의 부피가 변하는 경우를 찾아 볼까?

비행기에서 일어나는 과자 봉지의 부피 변화

▲ 땅에서의 비행기 안의 과자 봉지

▲ 하늘에서의 비행기 안의 과자 봉지

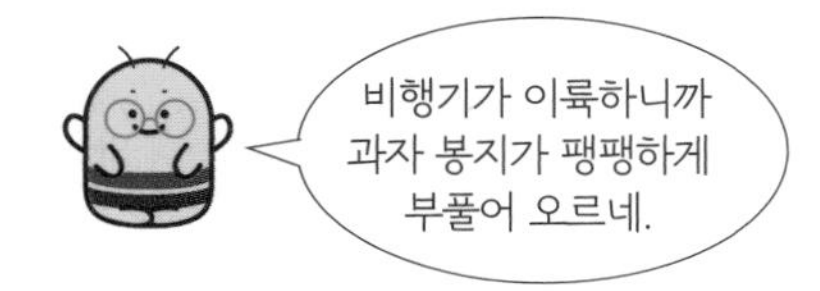

과자 봉지는 땅에서보다 하늘을 나는 동안 더 많이 부풀어 오름.
⇨ 비행기 안의 **압력**은 땅보다 하늘에서 더 **낮기** 때문임.

잠수부가 내뿜은 공기 방울의 부피 변화

공기 방울이 물 표면으로 올라갈수록 더 크게 부풀어 오름.
⇨ 공기 방울이 물 표면으로 올라갈수록 주위의 **압력**이 **낮아지기** 때문임.

비행기 안에 있는 과자 봉지는 땅에서보다 하늘을 나는 동안 더 ❷(많이 / 적게) 부풀어 오릅니다.

정답 ❶ 많이 ❷ 많이

개념 체크

정답과 풀이 6쪽

1 기체는 압력을 가한 정도에 따라 ☐☐가 달라집니다.

2 ☐☐는 압력을 가해도 부피가 거의 변하지 않습니다.

3 잠수부가 내뿜은 공기 방울은 물 표면으로 올라올수록 ☐집니다.

보기
- 작아
- 커
- 무게
- 부피
- 기체
- 액체

3일 개념 확인하기

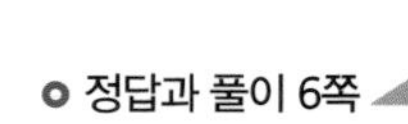

정답과 풀이 6쪽

1 오른쪽과 같이 물과 공기를 주사기에 각각 넣고 입구를 막은 후 피스톤을 같은 힘으로 눌렀을 때 피스톤이 더 잘 들어가는 것의 기호를 쓰시오.

( )

㉠

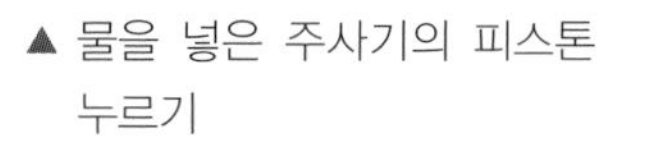

▲ 물을 넣은 주사기의 피스톤 누르기

㉡

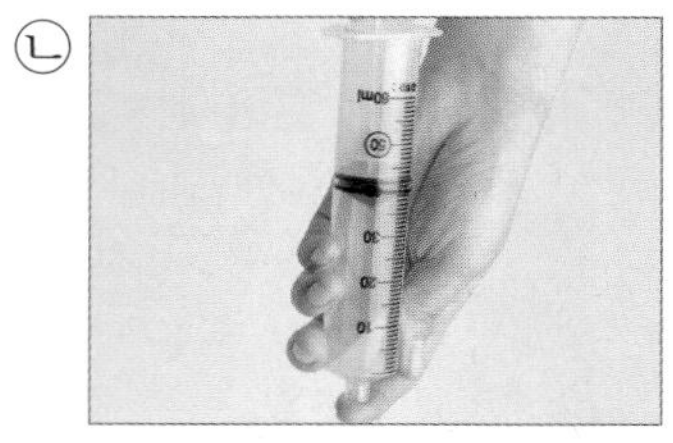

▲ 공기를 넣은 주사기의 피스톤 누르기

2 다음은 압력과 기체의 부피 변화에 대한 설명입니다. □ 안에 들어갈 알맞은 말을 쓰시오.

> 기체는 압력을 □ 가하면 부피가 조금 작아지고, 압력을 세게 가하면 부피가 많이 작아집니다.

( )

3 다음은 기체와 액체에 압력을 가했을 때 부피 변화에 대해 정리한 것입니다. ㉠, ㉡에 들어갈 알맞은 말을 각각 쓰시오.

구분	압력에 따른 부피 변화
㉠	압력을 가한 정도에 따라 부피가 달라짐.
㉡	압력을 약하게 가하거나 압력을 세게 가해도 부피가 변하지 않음.

㉠ ( ) ㉡ ( )

4 다음은 비행기 안에 있는 과자 봉지에 대한 설명입니다. ( ) 안의 알맞은 말에 ○표를 하시오.

> 비행기 안에 있는 과자 봉지는 땅에서보다 하늘을 나는 동안 더 (쪼그라듭니다 / 부풀어 오릅니다).

5 다음에서 잠수부가 내뿜은 공기 방울의 위치에 따른 크기를 >, =, <로 비교하여 쓰시오.

깊은 바닷속에서의 공기 방울 크기	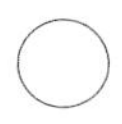	물 표면 근처에서의 공기 방울 크기

집중 연습 문제 압력에 따른 기체의 부피 변화

6 다음 중 주사기의 피스톤이 가장 많이 들어간 경우는 어느 것입니까? (　　　　)

① 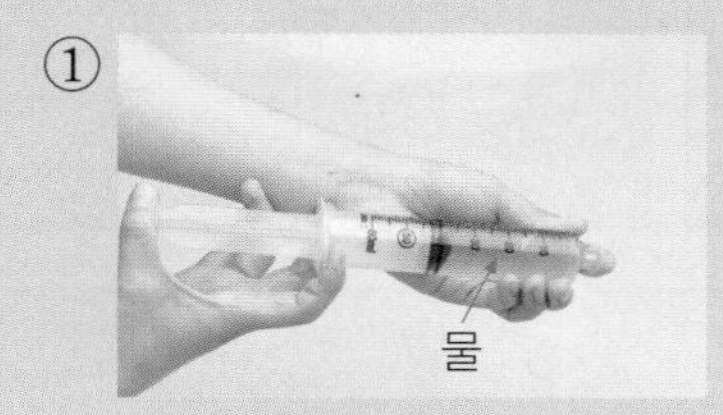

▲ 물 40 mL를 넣고 피스톤을 세게 눌렀을 때

② 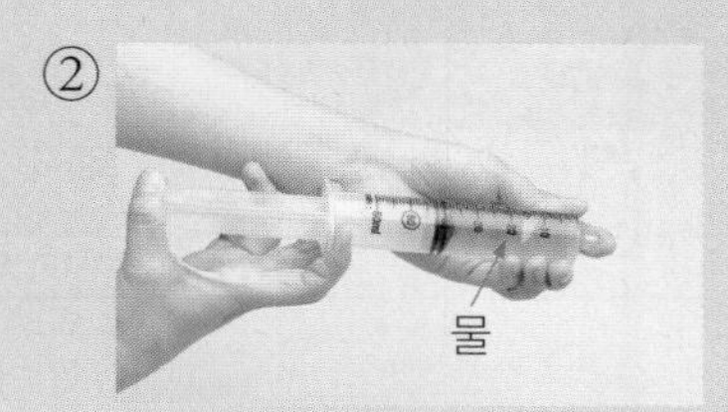

▲ 물 40 mL를 넣고 피스톤을 약하게 눌렀을 때

③ 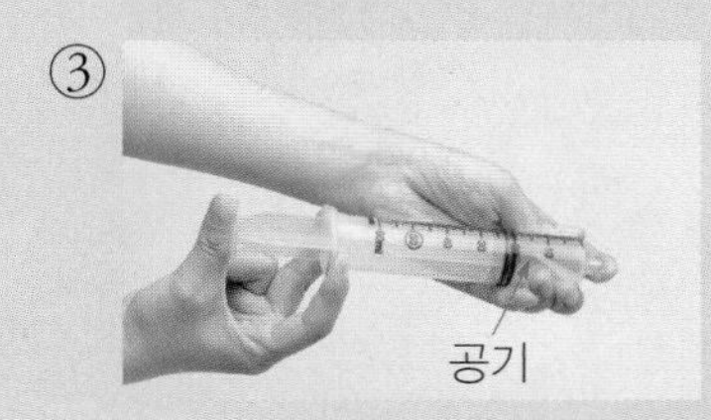

▲ 공기 40 mL를 넣고 피스톤을 세게 눌렀을 때

④ 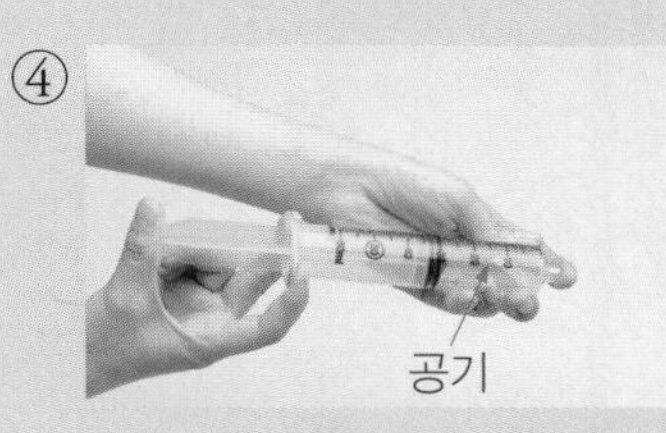

▲ 공기 40 mL를 넣고 피스톤을 약하게 눌렀을 때

7 다음 중 기체에 압력을 가했을 때 변화와 관련된 설명으로 옳지 않은 것을 보기에서 골라 기호를 쓰시오.

보기

㉠ 기체의 부피는 압력을 가하면 작아집니다.
㉡ 기체에 압력을 세게 가하면 부피가 많이 작아집니다.
㉢ 기체에 압력을 약하게 가하면 부피가 변하지 않습니다.

(　　　　　　　　　　)

기체는 압력을 가한 정도에 따라 부피가 달라져.

기체의 부피와 온도 / 기체의 쓰임새

사우나 온도가 왜 이렇게 낮아!

용어 체크

온도

물질의 차갑거나 따뜻한 정도를 숫자에 단위를 붙여 나타낸 것

예 실내의 ❶ [ ] 가 너무 낮아 보일러를 틀었다.

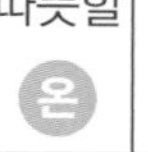	
따뜻할 온	정도 도

정답 ❶ 온도

자장면에 씌운 비닐 랩이 오목해졌다고?

용어 체크

오목

가운데가 동그스름하게 푹 패거나 들어가 있는 모양

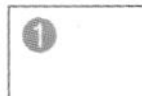 하얀 눈 위에 ❶ [ ] 하게 패인 동물들의 발자국이 있다.

▲ 눈 위에 오목하게 패인 동물 발자국

정답 ❶ 오목

4일 개념 익히기

1 온도 변화에 따른 기체의 부피 변화를 관찰해 볼까?

온도 변화에 따른 고무풍선에 든 기체의 부피 변화

뜨거운 물에 넣었을 때

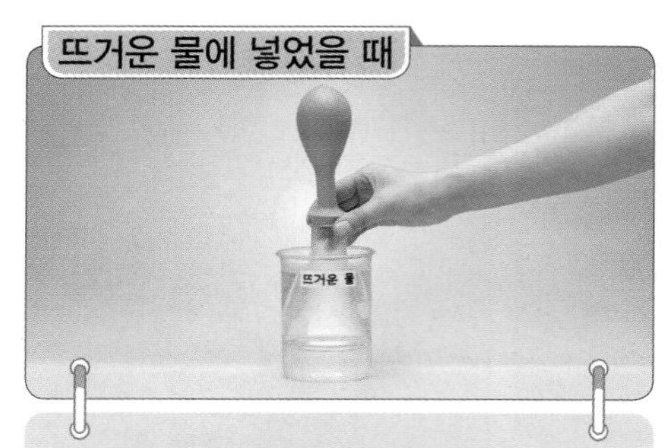

- 고무풍선이 부풀어 오름.
- 고무풍선의 부피가 커짐.

얼음물에 넣었을 때

- 고무풍선이 오그라듦.
- 고무풍선의 부피가 작아짐.

고무풍선을 씌운 삼각 플라스크를 뜨거운 물과 얼음물에 각각 넣었어.

온도 변화에 따른 플라스틱 스포이트에 든 기체의 부피 변화

뜨거운 물에 넣었을 때

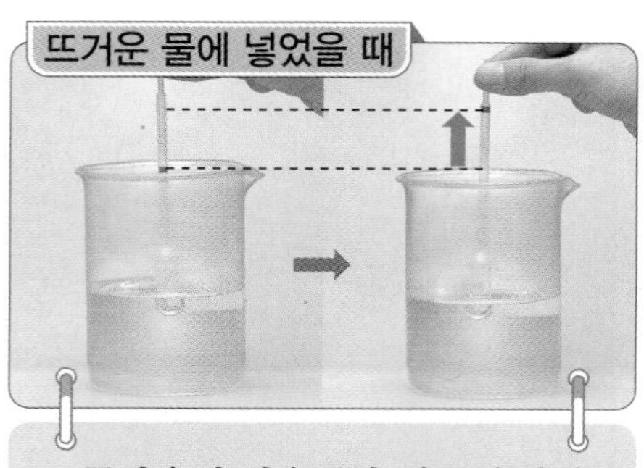

- 물방울이 처음보다 위로 올라감.
- 물방울이 위로 올라가서 스포이트관을 빠져나감.

얼음물에 넣었을 때

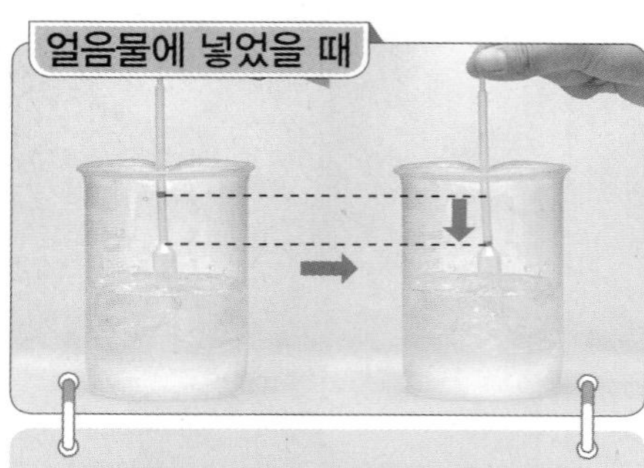

- 물방울이 처음보다 아래로 내려감.

물방울이 든 플라스틱 스포이트를 뒤집어서 뜨거운 물과 얼음물에 각각 넣었어.

- 온도가 높아지면 기체의 **부피**는 **커짐.**
- 온도가 낮아지면 기체의 **부피**는 **작아짐.**

온도가 높아지면 기체의 부피는 ❶(커 / 작아)지고, 온도가 낮아지면 기체의 부피가 ❷(커 / 작아) 집니다.

2 생활 속에서 온도에 따라 기체의 부피가 변하는 경우를 찾아 볼까?

▲ 뜨거울 때 윗면이 부풀어 오르고, 식으면 윗면이 오목하게 들어감.

▲ 물이 조금 담긴 페트병을 마개로 막아 냉장고에 넣으면 페트병이 찌그러짐.

물이 조금 담긴 페트병의 마개를 막아 냉장고에 넣으면 페트병이 ❸(찌그러집 / 부풀어 오릅)니다.

3 여러 가지 기체의 쓰임새를 알아 볼까?

▲ 식품의 내용물을 보존하거나 신선하게 보관하는 데 이용함.

▲ 청정 연료로 전기를 만드는 데 이용함.

▲ 특유의 빛을 내는 조명 기구나 네온 광고에 이용함.

식품의 내용물을 보존하거나 신선하게 보관하는 데 이용하는 기체는 ❹(산소 / 질소)입니다.

정답 ❶ 커 ❷ 작아 ❸ 찌그러집 ❹ 질소

개념 체크

정답과 풀이 6쪽

1 기체는 온도에 따라 □□이/가 변합니다.

2 온도가 □□지면 기체의 부피는 커집니다.

3 □□은/는 청정 연료로, 전기를 만드는 데 이용됩니다.

보기
- 질량
- 부피
- 낮아
- 높아
- 수소
- 네온

개념 확인하기

정답과 풀이 6쪽

1 다음 삼각 플라스크에 씌운 고무풍선의 모습과 삼각 플라스크를 넣은 비커의 조건에 맞게 줄로 바르게 이으시오.

(1) 

▲ 고무풍선이 부풀어 오름. •

(2) 

▲ 고무풍선이 오그라듦. •

• ㉠ 삼각 플라스크를 얼음물이 든 비커에 넣은 경우

• ㉡ 삼각 플라스크를 뜨거운 물이 든 비커에 넣은 경우

2 다음은 위 **1**번 답으로 알게 된 점입니다. ㉠, ㉡에 들어갈 알맞은 말을 각각 쓰시오.

> 온도가 [㉠]지면 고무풍선의 부피가 [㉡]지고, 온도가 낮아지면 고무풍선의 부피가 작아집니다.

㉠ (　　　　　　) ㉡ (　　　　　　)

3 다음은 물방울이 든 플라스틱 스포이트를 오른쪽 그림과 같이 얼음물이 든 비커에 뒤집어 넣었을 때 스포이트 안에 든 물방울의 움직임입니다. (　　) 안의 옳은 말에 ○표를 하시오.

> 물방울이 처음보다 (아래로 내려갑니다 / 위로 올라갑니다).

4 다음 중 온도와 기체의 부피와의 관계를 바르게 말한 친구의 이름을 쓰시오.

> 민정 : 기체의 부피는 온도의 영향을 받지 않아.
> 재민 : 온도가 낮아지면 기체의 부피는 작아져.
> 소연 : 온도가 높아지면 기체의 부피는 작아져.

(　　　　　　)

5 다음의 온도와 기체의 부피 변화에 대한 예에서 옳은 것에는 ○표, 옳지 않은 것에는 ×표를 하시오.

(1) 뜨거운 음식을 비닐 랩으로 싸면 비닐 랩이 볼록하게 부풀어 오릅니다. (　　　　)

(2) 물이 조금 든 페트병의 마개를 닫아 냉장고에 넣으면 페트병이 부풀어 오릅니다. (　　　　)

6 다음 중 네온이 이용되는 경우로 옳은 것은 어느 것입니까? (　　　　)

① 

▲ 과자 포장

② 

▲ 탄산음료를 만드는 재료

③ 

▲ 응급 환자의 호흡 장치

④ 

▲ 특유의 빛을 내는 조명 기구

똑똑한 하루 퀴즈

7 다음 □ 안에 들어갈 알맞은 낱말을 말 상자에서 찾아 모두 ○표를 하세요. 말 상자의 낱말은 가로, 세로, 대각선에 숨어 있어요.

구	★	낮	높
네	도	산	아
온	★	압	헬
수	질	륨	력
소	부	★	피

① 온도가 □□지면 기체의 부피는 커짐.

② 온도가 □□지면 기체의 부피는 작아짐.

③ 식품을 보존하거나 신선하게 보관하는 데 쓰이는 기체. □□

5일 2주 마무리하기

1 산소의 성질과 이용

산소는 우리가 숨을 쉴 때 필요한 기체야.

① **산소 발생시키기**

- **필요한 물질** : 이산화 망가니즈, 묽은 과산화 수소수
- **기체가 발생할 때 나타나는 현상** : 가지 달린 삼각 플라스크 내부와 수조의 ㄱ자 유리관 끝에서 거품이 발생합니다.

② **산소의 성질**

- 색깔과 냄새가 없습니다.
- 철이나 구리와 같은 금속을 녹슬게 합니다.
- 스스로 타지 않지만 다른 물질이 타는 것을 돕습니다.

③ **산소의 이용**

▲ 금속을 자르거나 붙일 때

▲ 압축 공기통

▲ 산소 호흡 장치

2 이산화 탄소의 성질과 이용

이산화 탄소는 물질이 타는 것을 막아.

① **이산화 탄소를 발생시킬 때 필요한 물질** : 탄산 수소 나트륨, 진한 식초

② **이산화 탄소의 성질**

- 색깔과 냄새가 없습니다.
- 석회수를 뿌옇게 합니다.

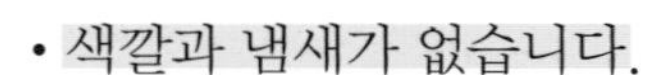

- 향불을 넣으면 불꽃이 꺼집니다.

③ **이산화 탄소의 이용**

▲ 드라이아이스

▲ 소화기

▲ 탄산음료

기체의 부피는 압력을 가한 정도에 따라 달라져.

3 기체의 부피와 압력

피스톤을 약하게 누를 때

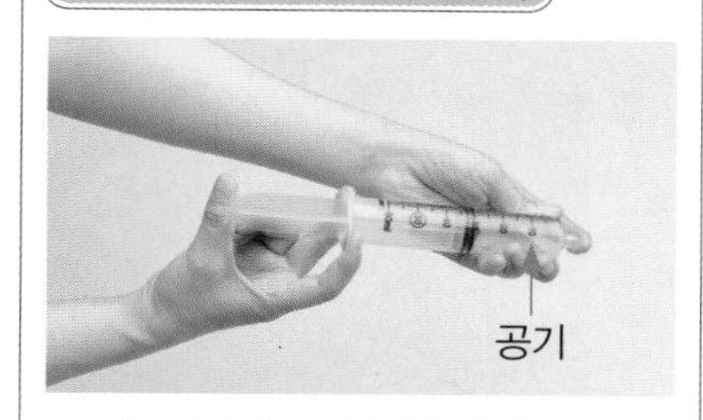

• 피스톤이 조금 들어감.

피스톤을 세게 누를 때

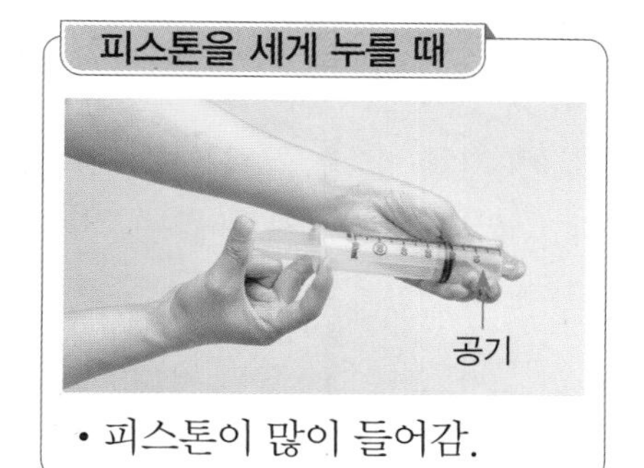

• 피스톤이 많이 들어감.

➡ 압력을 약하게 가하면 기체의 부피는 조금 작아지고, 압력을 세게 가하면 기체의 부피는 많이 작아집니다.

4 기체의 부피와 온도

뜨거운 물에 넣었을 때

• 고무풍선이 부풀어 오름.

얼음물에 넣었을 때

온도가 낮으면 풍선이 홀쭉해져.

• 고무풍선이 오그라듦.

➡ 온도가 높아지면 기체의 부피는 커지고, 온도가 낮아지면 기체의 부피는 작아집니다.

과학 칼럼

지구 온난화의 주범, 이산화 탄소!

지구 온난화란 지구 표면의 평균 온도가 상승하는 현상입니다. 지구의 온도가 높아짐에 따라 해수면이 높아져 해안 지역이 물에 잠기고, 기후 변화가 일어나 집중 호우로 인한 홍수나 가뭄과 같은 자연재해가 일어나기도 합니다. 지구 온난화의 원인은 여러 가지가 있지만, 가장 큰 원인은 화석 연료를 사용할 때에 배출되는 이산화 탄소의 증가로 온실 가스가 증가했기 때문입니다.

▲ 지구 온난화로 녹고 있는 빙하

지구 온난화를 늦추기 위해서는 이산화 탄소의 배출을 줄여야 합니다. 대중교통 이용, 재활용 분리배출, 사용하지 않는 전기코드 뽑기, 불필요한 전구 끄기 등의 생활 속 작은 실천으로 이산화 탄소의 배출을 줄일 수 있습니다.

1일 산소의 성질과 이용

1 오른쪽과 같이 기체 발생 장치를 꾸며 산소를 발생시킬 때 나타나는 현상으로 옳은 것은 어느 것입니까? (   )

묽은 과산화 수소수
이산화 망가니즈 + 물

① 수조 속의 물이 뿌옇게 흐려진다.
② 집기병 속으로 물이 들어와 가득 차게 된다.
③ 가지 달린 삼각 플라스크에서 검은 연기가 발생한다.
④ 가지 달린 삼각 플라스크에서 거품이 발생한다.
⑤ 가지 달린 삼각 플라스크에서 자극적인 냄새가 난다.

2 오른쪽과 같이 산소가 든 집기병에 향불을 넣으면 불꽃은 어떻게 되는지 쓰시오.

(   )

3 다음 중 산소를 이용한 경우의 예로 옳은 것은 어느 것입니까? (   )

① 
▲ 소화기

② 
▲ 탄산음료

③ 
▲ 압축 공기통

④ 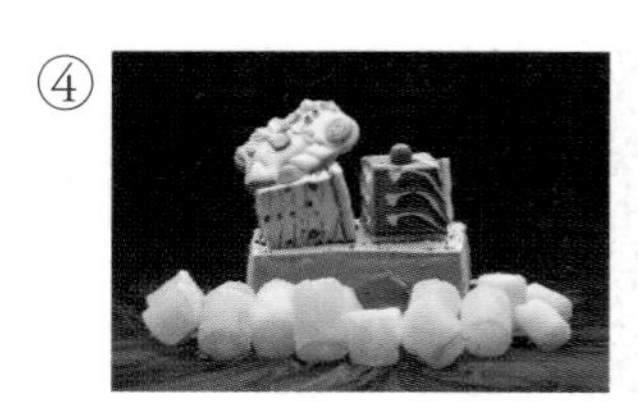
▲ 드라이아이스

빠른 정답 보기
○ 정답과 풀이 7쪽

2일 이산화 탄소의 성질과 이용

4 다음의 기체 발생 장치를 이용해 이산화 탄소를 발생시킬 때 필요한 물질 두 가지를 쓰시오.

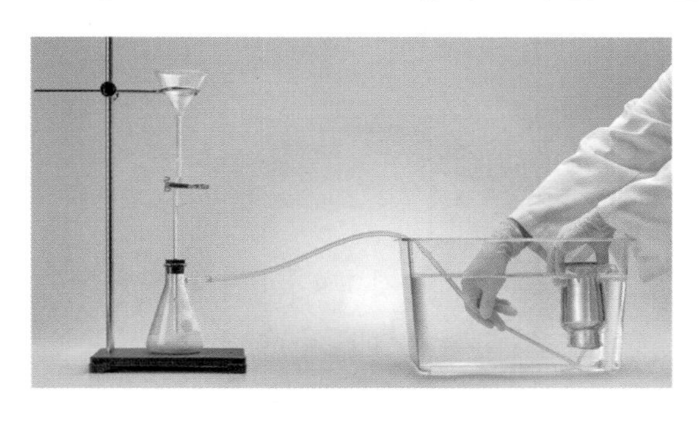

(,)

서술형

5 오른쪽과 같이 이산화 탄소가 든 집기병에 석회수를 넣고 흔들었을 때 나타나는 현상을 쓰시오.

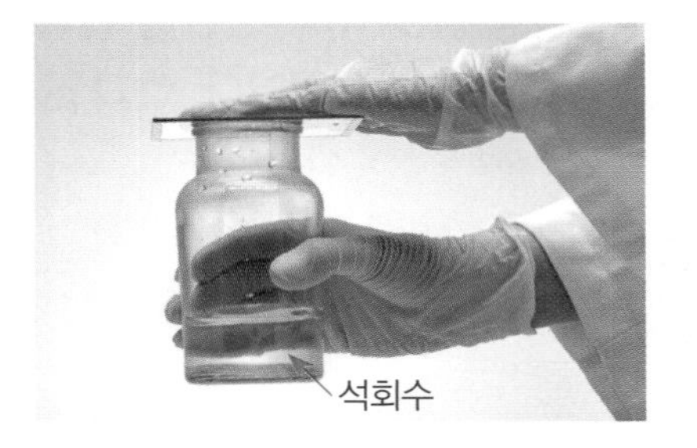

6 다음 중 이산화 탄소가 물질이 타는 것을 막는 성질을 생활에 이용한 경우를 골라 기호를 쓰시오.

㉠

▲ 소화기

㉡

▲ 탄산음료

( )

3일 기체의 부피와 압력

7 오른쪽 그림과 같이 공기를 넣은 주사기의 입구를 손가락으로 막고 피스톤을 누르면 피스톤이 움직이는 까닭으로 옳은 것에 ○표를 하시오.

(1) 주사기에 든 공기가 빠져나가기 때문입니다. ( )

(2) 주사기에 든 공기의 무게가 커지기 때문입니다. ( )

(3) 주사기에 든 공기의 부피가 작아지기 때문입니다. ( )

8 다음은 비행기 안의 과자 봉지가 땅에서보다 하늘을 나는 동안 더 부풀어 오르는 까닭을 설명한 것입니다. ㉠과 ㉡에 들어갈 알맞은 말을 각각 쓰시오.

> 비행기 안의 [㉠]은/는 땅에서보다 하늘에서 더 [㉡] 때문입니다.

㉠ ( ) ㉡ ( )

4일 기체의 부피와 온도

9 오른쪽은 삼각 플라스크 입구에 고무풍선을 씌운 뒤 뜨거운 물이 든 비커에 넣은 모습입니다. 고무풍선의 변화로 옳은 것을 보기에서 골라 기호를 쓰시오.

보기
- ㉠ 고무풍선이 오그라듭니다.
- ㉡ 고무풍선이 부풀어 오릅니다.
- ㉢ 고무풍선의 색깔이 붉은색으로 변합니다.

( )

10 오른쪽 그림과 같이 플라스틱 스포이트의 관에 있는 물방울을 위로 올라가게 하는 방법에 대한 설명입니다. (   ) 안의 알맞은 말에 ○표를 하시오.

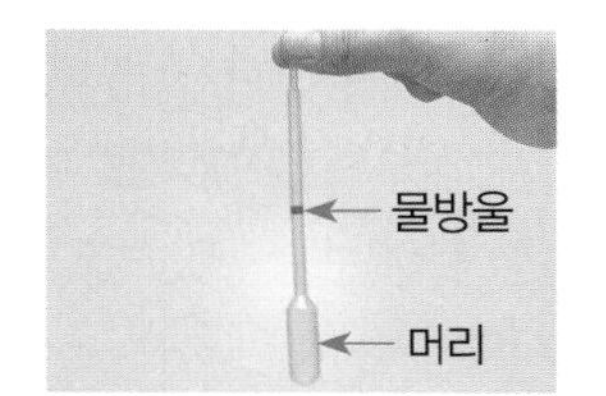

플라스틱 스포이트의 머리 부분을 (얼음물 / 뜨거운 물)에 넣습니다.

2주

11 냉장고 속에 있는 찌그러진 페트병을 냉장고 밖에 꺼내 놓았을 때 페트병의 변화를 옳게 설명한 친구의 이름을 쓰시오.

나영 : 찌그러진 페트병이 펴질 거야.
인호 : 아니야. 찌그러진 페트병이 더 찌그러져.
윤영 : 그렇지 않아. 아무런 변화도 일어나지 않아.

(   )

12 다음 십자말풀이를 해 보세요.

	②			③
①	□	□	□	□
	□			
	④	□		
⑤	□			
	□			

➔ 가로

① 석회수를 뿌옇게 하는 성질을 가진 기체
④ 청정 연료로, 전기를 만드는 데 이용되는 기체
⑤ 사람과 동물이 호흡할 때 반드시 필요한 기체

➔ 세로

② 산소를 발생시키는 데 이용되는 액체 물질. 묽은 □□□ □□□
③ 식품의 내용물을 보존하거나 신선하게 보관하는 데 이용하는 기체

2주 누구나 100점 TEST

맞은 개수 /10개

1 다음 기체 발생 장치를 만들 때에 대한 설명에서 옳은 것에는 ○표, 옳지 않은 것에는 ×표를 하시오.

(1) 집기병에는 공기를 가득 채웁니다. (　　　)

(2) 고무마개에 물을 묻힌 후 살살 돌려가면 꽉 끼웁니다. (　　　)

(3) 기체를 모을 때 처음에 나오는 기체를 모읍니다. (　　　)

2 다음 산소를 발생시키는 장치에서 가지 달린 삼각 플라스크에 물과 함께 넣어 주는 물질인 ㉠은 무엇인지 쓰시오.

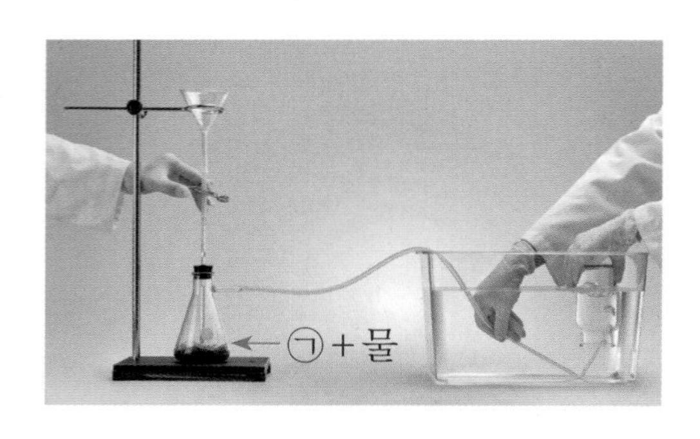

(　　　　　　　　)

3 다음과 같이 호흡 장치에 이용하는 기체는 어느 것입니까? (　　　　)

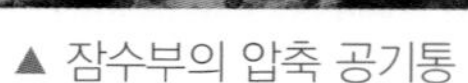
▲ 잠수부의 압축 공기통

▲ 응급 환자의 호흡 장치

① 수소　② 네온　③ 질소
④ 산소　⑤ 이산화 탄소

4 다음과 같이 기체 발생 장치를 꾸며 이산화 탄소를 발생시킬 때 ㉠과 ㉡에 넣어야 할 물질을 바르게 짝지은 것은 어느 것입니까? (　　　)

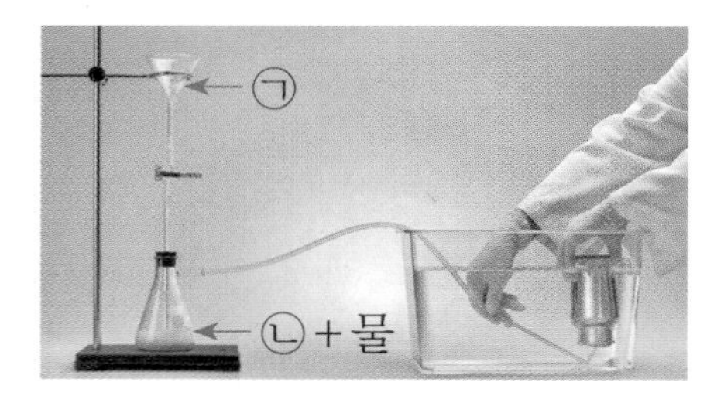

	㉠	㉡
①	석회수	진한 식초
②	진한 식초	탄산수소 나트륨
③	진한 식초	이산화 망가니즈
④	묽은 과산화 수소수	탄산수소 나트륨
⑤	묽은 과산화 수소수	이산화 망가니즈

5 다음 중 이산화 탄소가 든 집기병에 향불을 넣었을 때의 결과로 옳은 것을 골라 기호를 쓰시오.

㉠

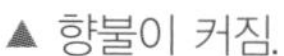
▲ 향불이 커짐.

㉡

▲ 향불이 꺼짐.

(　　　　　　　　)

6 다음과 같이 공기를 넣은 주사기의 입구를 손가락으로 막고 피스톤을 눌렀을 때 피스톤이 움직이는 까닭으로 옳은 것은 어느 것입니까? (　　　)

① 주사기에 든 공기가 빠져나가기 때문이다.
② 주사기에 든 공기의 부피가 커지기 때문이다.
③ 주사기에 든 공기의 무게가 작아지기 때문이다.
④ 주사기에 든 공기의 부피가 작아지기 때문이다.
⑤ 주사기에 든 공기의 부피가 변하지 않기 때문이다.

7 다음과 같이 물속에서 잠수부가 내뿜은 공기 방울의 부피 변화에 맞게 (　　) 안의 알맞은 말에 ○표를 하시오.

깊은 바닷속에서 잠수부의 날숨으로 생긴 공기 방울은 물 표면으로 올라갈수록 더 (커집니다 / 작아집니다).

8 물방울이 든 플라스틱 스포이트를 오른쪽과 같이 얼음물이 든 비커에 뒤집어 넣었을 때 스포이트 속 물방울이 움직이는 방향을 ↑ 또는 ↓로 나타내시오.

(　　　　　　　　)

9 다음은 뜨거운 음식을 비닐 랩으로 싸면 비닐 랩이 볼록하게 부풀어 올랐다가 시간이 지나면 비닐 랩이 다시 오목해지는 까닭입니다. ㉠, ㉡에 들어갈 알맞은 말을 각각 쓰시오.

온도가 높아지면 기체의 부피가 [㉠] 지고, 온도가 낮아지면 기체의 부피는 [㉡] 지기 때문입니다.

㉠ (　　　　　　) ㉡ (　　　　　　)

10 다음 중 오른쪽과 같은 용도로 사용되는 기체는 어느 것입니까? (　　　)

▲ 과자 포장

① 수소　② 산소
③ 질소　④ 네온
⑤ 이산화 탄소

2주

생활 속 과학

다음 기사를 읽고 탄산음료 속에 들어 있는 기체의 특징을 알아봅니다.

1 영일이가 맛있는 콜라를 먹을 수 있도록 옳은 답을 찾아 도와주세요. (콜라까지 도달할 수 있도록 선으로 표시해 주세요.)

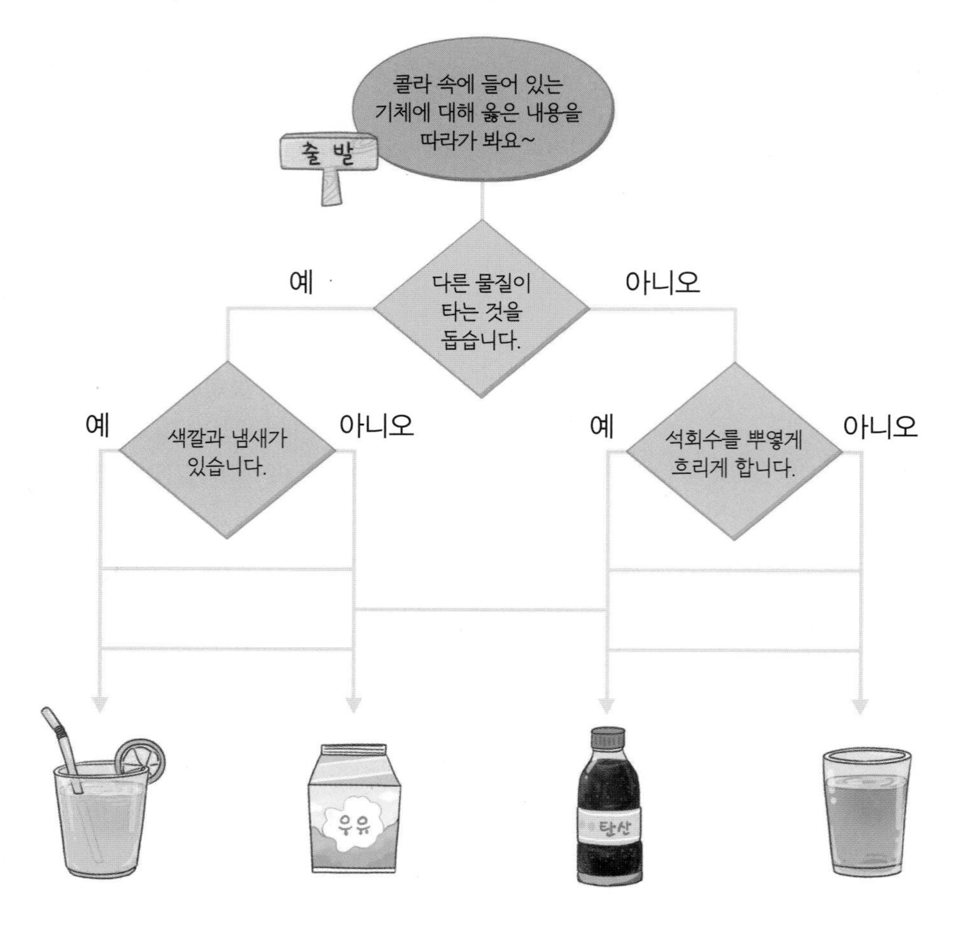

우리가 즐겨 마시는 콜라는 1886년 미국의 약사인 존 펨버튼 박사가 처음 발명했습니다. 당시 약국을 운영하던 펨버튼 박사는 두통 치료제를 만들려고 설탕, 캐러멜, 구연산 등의 재료에 코카나무 잎과 콜라나무 열매의 추출물을 섞는 실험을 하였습니다. 그 과정에서 우연히 캐러멜 색깔을 띠는 액체를 발명하게 되었고, 이 액체에 탄산을 섞었더니 달콤한 맛에 톡 쏘는 음료가 만들진 것입니다. 이 음료를 신상품으로 약국에서 판매하게 된 것이 탄산음료의 시작입니다. 이후 코카콜라라고 상표를 붙여 판매하게 되었다고 합니다.

정답과 풀이 8쪽

기체의 압력과 부피 관계를 알아봅니다.

2 다음 만화를 읽고 비행기가 이륙할 때 귀가 먹먹해지는 까닭을 생각해서 써 보세요.

정답

하늘 위로 올라갈수록 공기의 양이 적어 기체의 압력이 ❶ ____________, 귀 안쪽 공기의 부피가 ❷ ____________ 귀 안쪽의 막이 밖으로 밀려나기 때문에 귀가 먹먹해집니다.

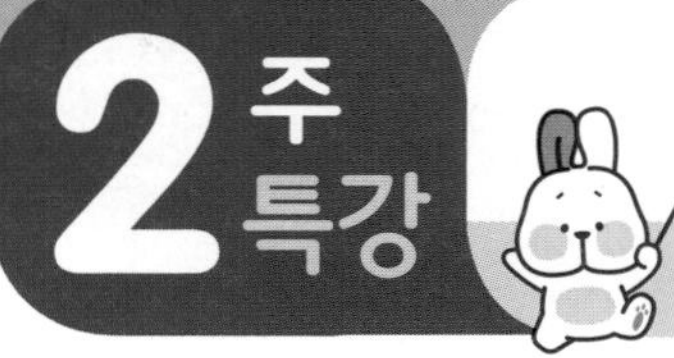

2주 특강 사고 쑥쑥

여러 가지 기체의 특징을 알아봅니다.

지구를 위협하는 기체

오존

무더운 여름철에 일기 예보에서 오존주의보가 내려 외출을 자제하도록 권고하는 뉴스가 나올 때가 있어요. '오존'은 산소 3개가 모여서 만든 푸른색 기체로 '오존'에 노출되면 가슴 통증, 목 따가움, 눈 통증 등을 느낄 수 있어요. 또 오래 노출되면 폐가 손상될 수 있어 조심해야 해요.

염소

욕실 청소할 때 사용하는 락스는 산성 세제와 함께 사용하면 위험해요. 독가스로 쓰이는 해로운 '염소'가 만들어지거든요.

메테인

방귀에 섞여 있고, 쓰레기를 태울 때도 나오는 '메테인'도 불이 잘 붙는 기체입니다. 지구 온난화를 일으켜 지구를 위협하는 기체이기도 해요.

3 은수는 여러 가지 기체가 들어 있는 방을 통과하여 산소가 들어 있는 방에 들어가려 해요. 내용에 맞는 화살표를 따라가면 산소가 들어 있는 방의 문을 열 수 있어요. 산소가 들어 있는 방의 문의 번호를 쓰시오. (단, 내용이 맞다고 생각하면 ➡, 틀리다고 생각하면 ➡ 화살표를 따라갑니다.)

➡ 산소가 들어 있는 방의 번호 : ＿＿＿＿＿ 번

온도와 압력에 따른 기체의 부피 변화를 알아봅니다.

4 지민이는 온도와 압력에 따른 기체의 부피 변화를 확인하여 상품을 얻는 퀴즈에 응모하였어요. 아래의 코딩 명령을 바르게 실행하여 최종으로 도착한 지점이 지민이가 얻을 수 있는 상품이에요. 지민이가 얻은 상품을 써 보세요.

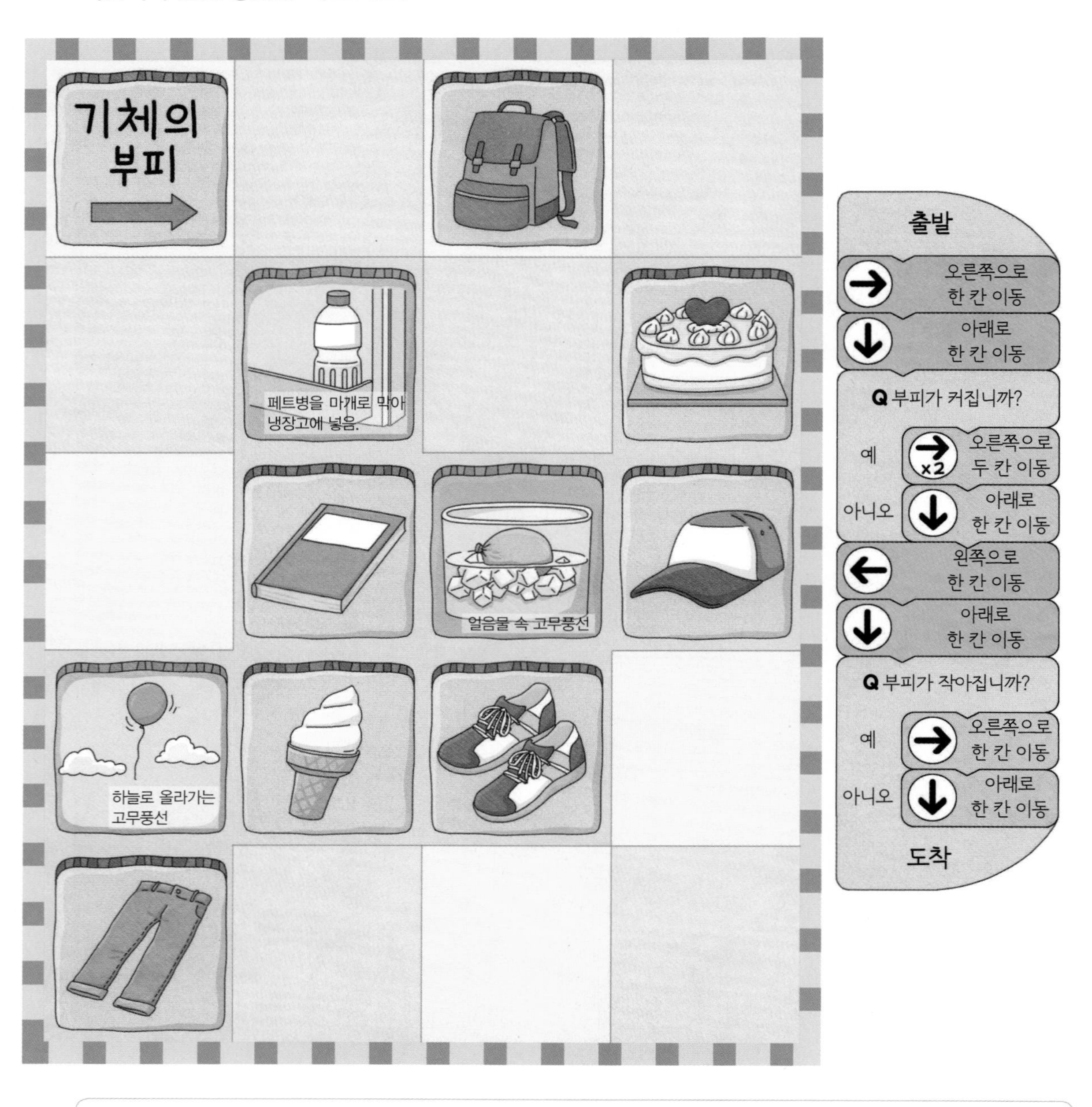

➡ 지민이가 얻은 상품은 ☐ 입니다.

5 다음 만화를 보고 물음에 답하세요.

❶ 위 만화에서 탁구공이 펴진 원리는 무엇인지 다음 상자 안의 용어를 꺼내서 문장을 완성하고, 고른 카드 숫자를 아래에 순서대로 적어 보세요.

[ ]이/가 [ ]지면 기체의 [ ]이/가 [ ]진다.

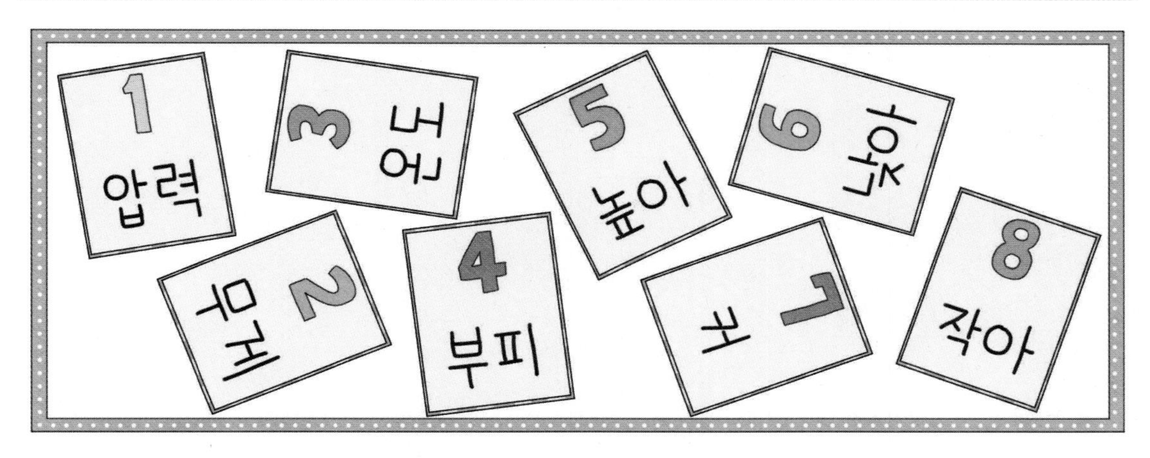

정답: [ ][ ][ ][ ]

❷ 기체의 온도에 따라 부피가 어떻게 달라지는지를 발견한 프랑스의 과학자가 있어요. 이름을 한번 맞춰볼까요? ❶번에서 고른 정답의 숫자를 모두 더한 두 자리 숫자에 해당하는 각각의 낱말을 연결하면 과학자의 이름이 나와요.

숫자	0	1	2	3	4	5	6	7	8	9
낱말	트	샤	보	뉴	퀴	턴	일	볼	리	를

과학자: [ ][ ]

3주 식물의 구조와 기능

이번 주에는 무엇을 공부할까? 1

▲ 파 뿌리

▲ 느티나무 줄기

식물

뿌리 - 흡수 기능

줄기 - 물의 이동 통로

잎 - 광합성, 증산 작용

꽃과 열매 - 꽃가루받이

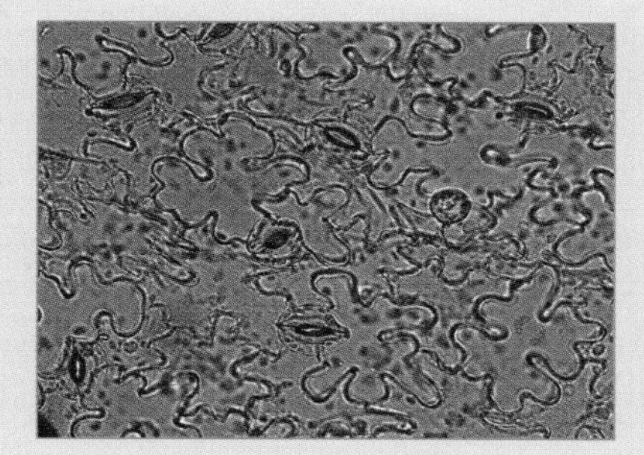
▲ 잎의 기공

▲ 곤충에 의한 꽃가루받이

3주 핵심 용어

이번 주에는 무엇을 공부할까? ❷

세포

細胞

가늘 세 세포 포

뜻 생물을 이루는 기본 단위

예 **세포**는 대부분 크기가 매우 작아 맨눈으로는 볼 수 없고 현미경으로 관찰해야 해요.

세포벽

細胞壁

가늘 세 세포 포 벽 벽

뜻 식물 세포의 가장 바깥쪽에 있으며 세포의 모양을 일정하게 유지하고 세포를 보호하는 벽

예 동물 세포에는 **세포벽**이 없고, 식물 세포에는 **세포벽**이 있어요.

동물과 식물은 생김새는 달라도 모두 세포로 이루어져 있어.

흡수

吸水

마실 흡 물 수

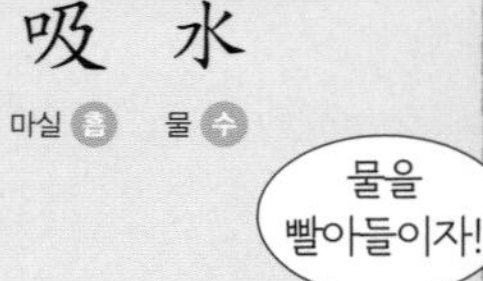

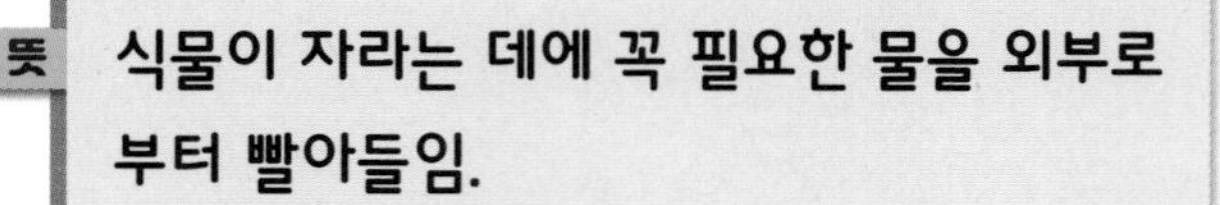

뜻 식물이 자라는 데에 꼭 필요한 물을 외부로부터 빨아들임.

예 식물은 물을 **흡수**하지 못하면 시들어 잘 자라지 못해요.

광합성

光合成

빛 광 합할 합 이룰 성

뜻 식물이 빛, 이산화 탄소, 물을 이용하여 스스로 양분을 만드는 것

예 식물에서 **광합성**으로 주로 양분을 만드는 곳은 잎이에요.

식물의 구조와 기능과 관련된 다양한 용어가 있어.
특히 광합성과 증산 작용 등의 용어는 꼭 기억해.

증산 작용

蒸 散

찔 증 흩을 산

뜻 **잎에 도달한 물이 기공을 통해 식물 밖으로 빠져나가는 것**

예 잎에서 일어나는 **증산 작용**은 기공이 열리거나 닫히면서 조절돼요.

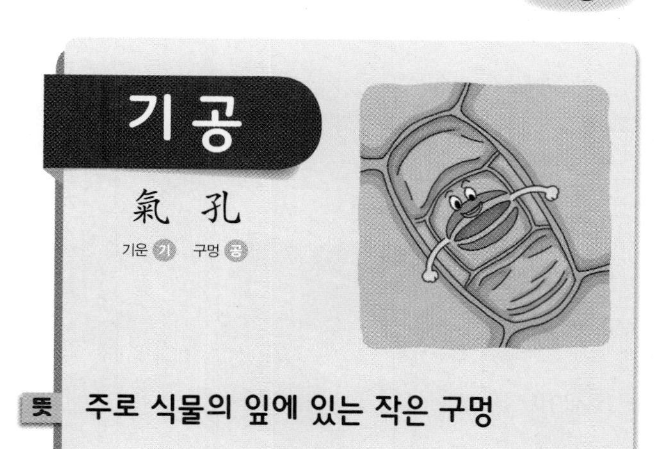

기 공

氣 孔

기운 기 구멍 공

뜻 **주로 식물의 잎에 있는 작은 구멍**

예 과학 시간에 현미경을 사용하여 잎의 **기공**을 관찰했어요.

꽃가루받이(수분)

受 粉

받을 수 가루 분

뜻 **수술에서 만든 꽃가루를 암술로 옮기는 것**

예 꿀이 있는 꽃은 벌이나 나비 등과 같은 곤충의 도움을 받아 **꽃가루받이**가 이루어져요.

1일 식물 세포

세포를 조사해 범인을 찾아라!

용어 체크

세포

생물을 이루는 기본 단위

예 우리 주변에 있는 생물은 크기와 모양이 다양하지만, 모두 ❶  로 이루어져 있다.

▲ 소나무 꽃가루 세포

정답 ❶ 세포

식물 세포에만 세포벽이 있다고?

용어 체크

세포벽

식물 세포의 가장 바깥쪽에 있으며 세포의 모양을 일정하게 유지하고 세포를 보호하는 벽

예 식물 세포는 세포막과 ❶ [　　　] 으로 둘러싸여 있고 그 안에는 핵이 있다.

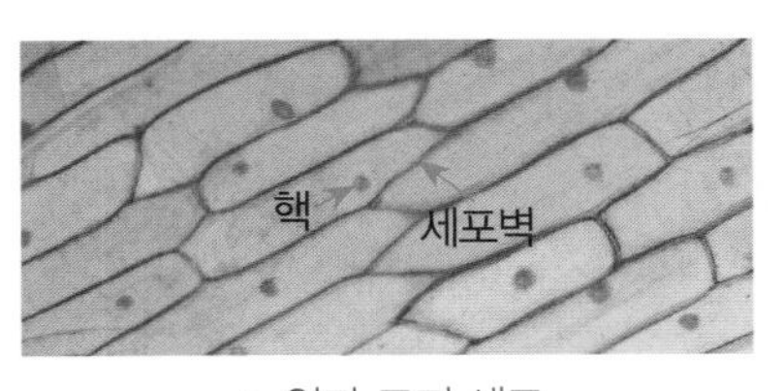

▲ 양파 표피 세포

정답 ❶ 세포벽

1일 개념 익히기

1 생물을 이루는 기본 단위는 무엇일까?

생물을 이루는 기본 단위는 ❶(기관 / 세포)입니다.

2 식물 세포는 어떤 부분으로 이루어져 있을까?

핵
각종 유전 정보를 포함하고 있으며, 생명 활동을 조절해 줌.

세포벽
세포의 모양을 일정하게 유지하고 세포를 보호함.

세포막
세포 내부와 외부를 드나드는 물질의 출입을 조절해 줌.

식물 세포는 세포벽과 세포막으로 둘러싸여 있고 그 안에 ❷(핵 / 잎)이/가 있습니다.

3 여러 가지 식물 세포의 모습을 살펴볼까?

▲ 양파 표피 세포

▲ 소나무 꽃가루 세포

▲ 닭의장풀 공변세포

식물 세포는 역할에 따라 생김새가 ③(갈습니다 / 다양합니다).

4 식물 세포와 동물 세포의 모습을 비교해 볼까?

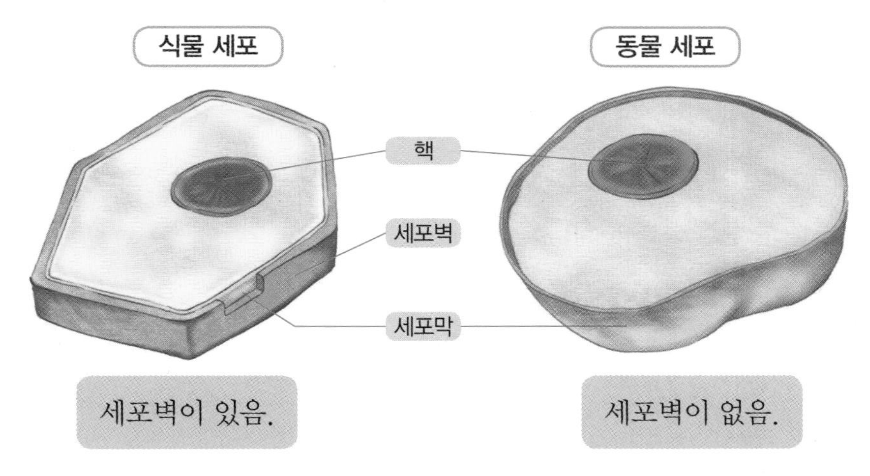

세포벽이 있음.

세포벽이 없음.

식물 세포와 동물 세포 중 세포벽이 있는 것은 ④(식물 / 동물) 세포입니다.

정답 ❶ 세포 ❷ 핵 ❸ 다양합니다 ❹ 식물

개념 체크

정답과 풀이 9쪽

1 모든 생물은 생물을 이루는 기본 단위인 ☐☐로 이루어져 있습니다.

2 식물 세포는 핵, 세포벽, ☐☐☐으로 이루어져 있습니다.

3 동물 세포에는 ☐☐☐이 없습니다.

보기
- 피부
- 세포
- 세포벽
- 세포막

정답과 풀이 9쪽

1 다음 보기 에서 세포에 대한 설명으로 옳은 것을 골라 기호를 쓰시오.

보기
㉠ 동물만 세포로 이루어져 있습니다.
㉡ 식물만 세포로 이루어져 있습니다.
㉢ 모든 생물을 이루는 기본 단위입니다.

(　　　　　　　　)

2 다음 중 식물 세포를 관찰할 때 사용하기에 가장 알맞은 기구는 어느 것입니까? (　　　)

① 맨눈　② 돋보기　③ 현미경
④ 용수철저울　⑤ 페트리 접시

3 다음은 식물 세포의 모습을 나타낸 것입니다. (　　) 안에 들어갈 부분의 이름을 쓰시오.

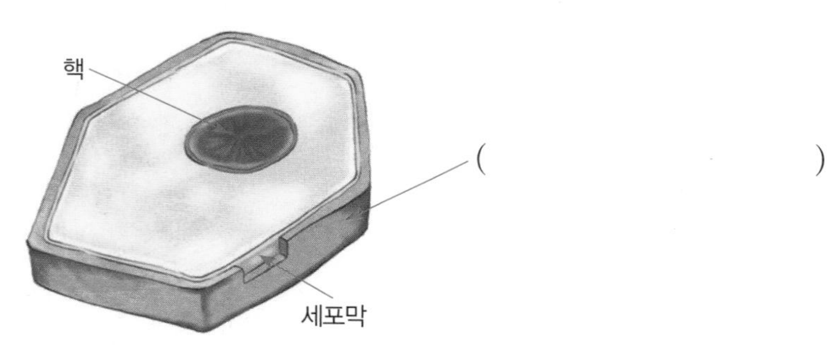

4 다음 중 식물 세포에서 세포벽이 하는 일을 두 가지 고르시오. (　　　,　　　)

① 양분을 만든다.
② 세포를 보호한다.
③ 생명 활동을 조절한다.
④ 물질의 출입을 조절한다.
⑤ 세포의 모양을 일정하게 유지한다.

식물 세포

5 다음 중 양파 표피 세포의 모습을 골라 기호를 쓰시오.

㉠

㉡
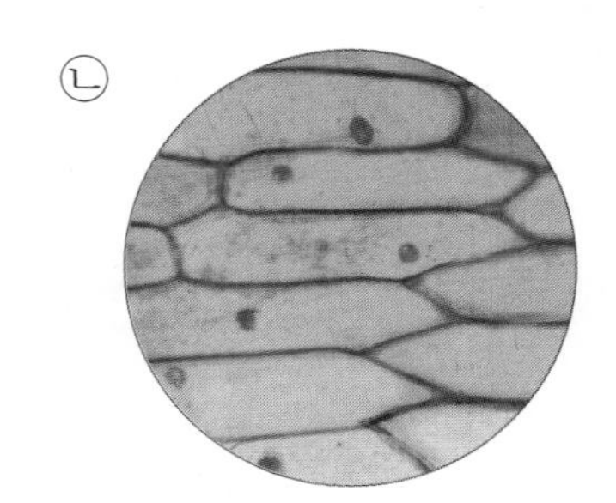

㉢

(　　　　　　　　)

6 오른쪽의 동물 세포에서 각 부분의 이름을 바르게 짝지은 것은 어느 것입니까? (　　　)

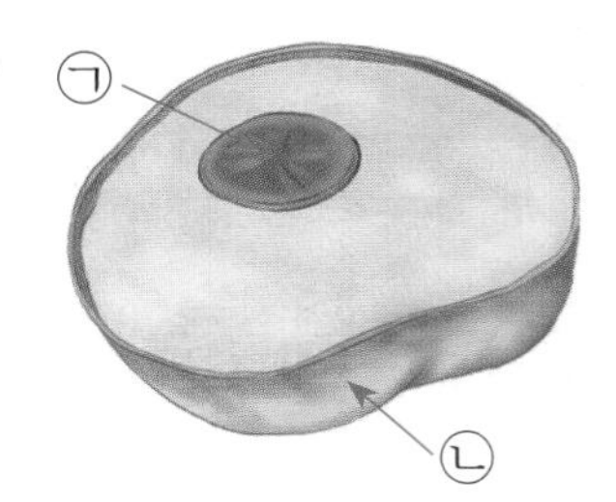

	㉠	㉡		㉠	㉡
①	핵	세포벽	②	핵	세포막
③	세포벽	핵	④	세포막	핵
⑤	세포벽	세포막			

똑똑한 **하루 퀴즈**

7 다음 설명에 해당하는 낱말을 말 상자에서 찾아 모두 ○표를 하세요. 말 상자의 낱말은 가로, 세로, 대각선에 숨어 있어요.

세	포	벽	지
포	★	돋	현
막	보	미	핵
기	경	★	산

1. 세포를 관찰할 때 필요한 기구
2. 식물 세포에서 세포 내부와 외부를 드나드는 물질의 출입을 조절해 주는 부분
3. 식물 세포에는 있지만 동물 세포에는 없는 것

2일 뿌리와 줄기

뿌리는 물을 흡수해!

용어 체크

흡수

식물이 자라는 데에 꼭 필요한 물을 외부로부터 빨아들임.

예 뿌리에 있는 솜털처럼 가는 뿌리털은 뿌리가 ❶ [ ] 을 더 잘 흡수하도록 해 준다.

▲ 뿌리

정답 ❶ 물

크다커도 물관으로 물을 운반해!

용어 체크

지지

붙들어서 버팀.

예 식물 ❶ [   ] 는 뿌리와 함께 식물이 쓰러지지 않도록 지지한다.

▲ 느티나무 줄기

물관

뿌리에서 흡수한 물이 이동하는 통로

예 뿌리에서 흡수한 ❷ [   ] 은 물관을 거쳐 식물 전체로 이동한다.

정답 ❶ 줄기 ❷ 물

2일 개념 익히기

1 뿌리는 어떻게 생겼을까?

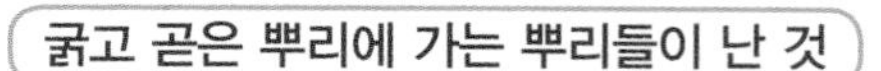

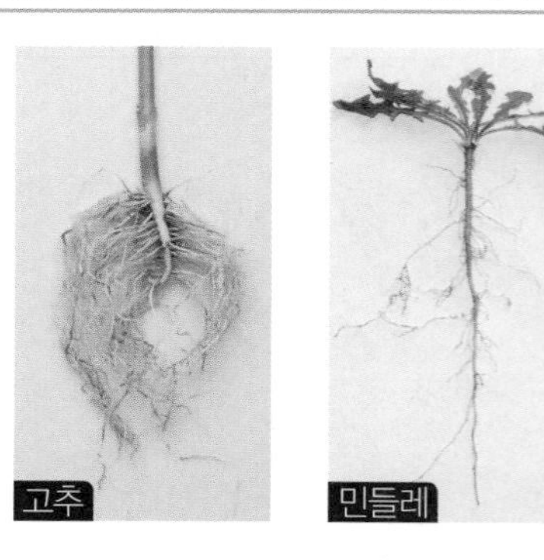

굵기가 비슷한 뿌리가
여러 가닥으로 수염처럼 난 것

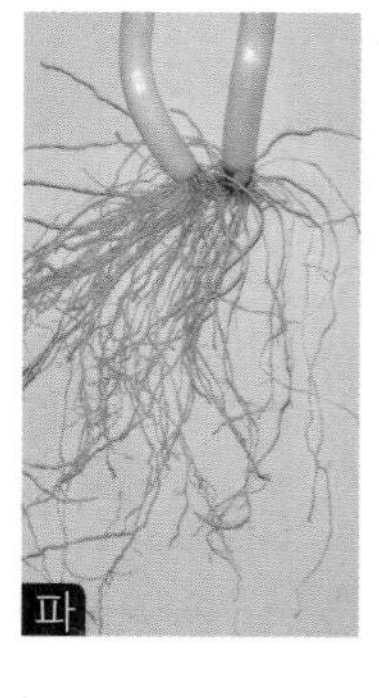

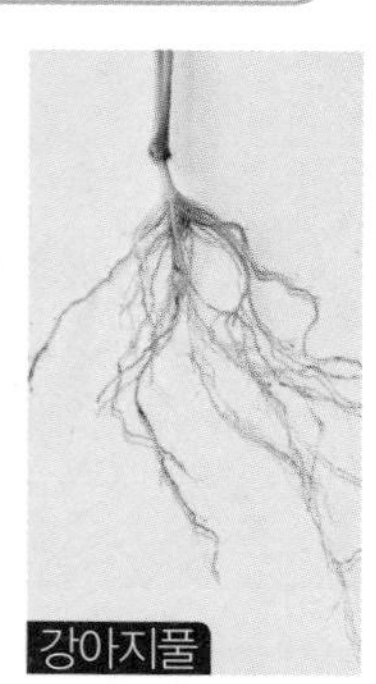

뿌리는 모양이 달라도 공통적으로 뿌리털이 있지.

식물의 종류에 따라 뿌리의 생김새는 ❶(갈습니다 / 다릅니다).

2 뿌리는 어떤 일을 할까?

실험 동영상

식물의 각 부분 중 땅속으로 뻗어 물을 흡수하는 것은 ❷(줄기 / 뿌리)입니다.

3 줄기의 생김새와 하는 일을 알아볼까?

줄기의 생김새

식물의 종류에 따라 생김새가 다양해.

▲ 굵고 곧은 것

▲ 다른 물체를 감는 것

▲ 땅 위를 기는 것

줄기에서 물의 이동

붉은 색소 물에 넣어 둔 백합 줄기에는 어떤 변화가 나타날까?

가로로 자른 모습	세로로 자른 모습

➡ 붉게 물든 부분은 줄기에서 물이 이동한 통로를 나타냄.

▲ 붉은 색소 물에 4시간 동안 넣어 둔 백합 줄기

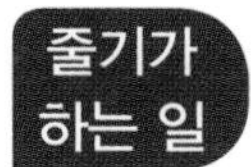

- 줄기는 뿌리에서 흡수한 물을 식물 전체로 보냄.
- 줄기는 식물을 지지하고 양분을 저장하기도 함.

뿌리에서 흡수한 물은 ③(줄기 / 잎)을/를 통해 식물 전체로 이동합니다.

정답 ❶ 다릅니다 ❷ 뿌리 ❸ 줄기

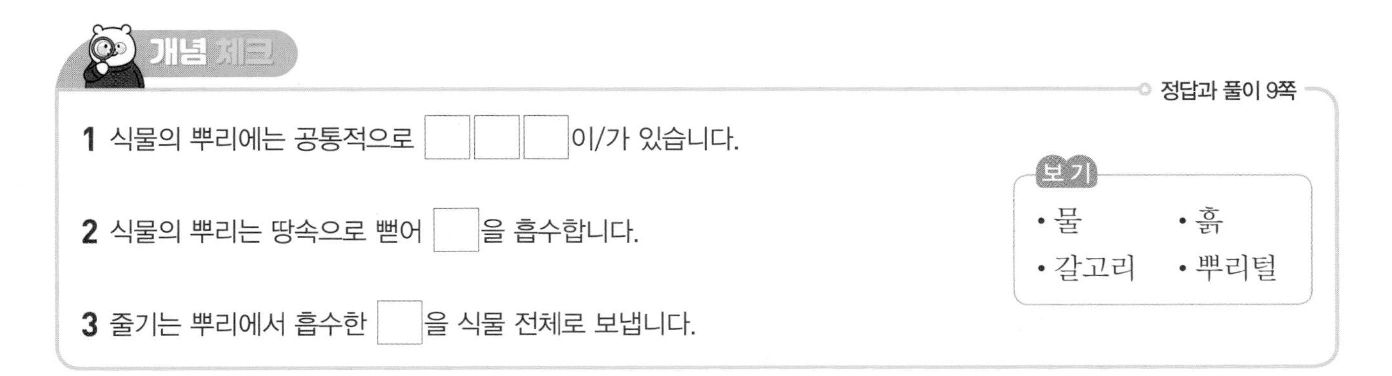

개념 체크

정답과 풀이 9쪽

1 식물의 뿌리에는 공통적으로 [ ][ ][ ]이/가 있습니다.

2 식물의 뿌리는 땅속으로 뻗어 [ ]을 흡수합니다.

3 줄기는 뿌리에서 흡수한 [ ]을 식물 전체로 보냅니다.

보기
- 물
- 흙
- 갈고리
- 뿌리털

2일 개념 확인하기

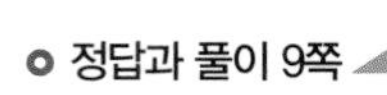

1 다음은 고추와 파 뿌리의 모습입니다. 두 뿌리의 생김새는 같은지, 다른지 쓰시오.

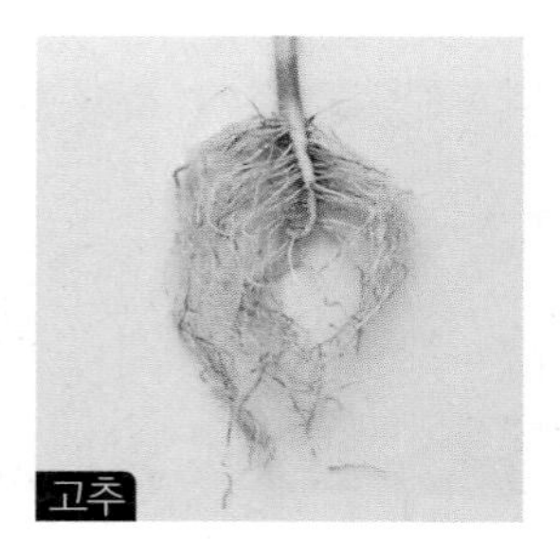

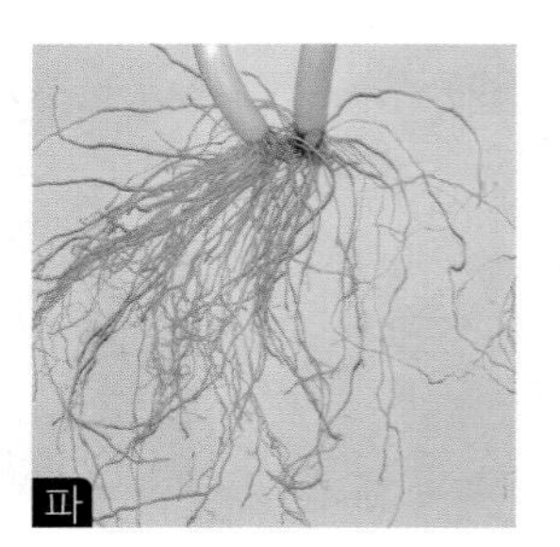

( )

2 다음 중 위 **1**번의 두 뿌리에 공통적으로 있는 것은 어느 것입니까? ( )

① 꿀 ② 날개 ③ 가시
④ 뿌리털 ⑤ 갈고리

3 다음은 뿌리가 하는 일 중 무엇에 대한 설명인지 보기에서 골라 쓰시오.

식물의 뿌리는 땅속으로 뻗어 땅속의 물을 흡수합니다.

보기
- 저장 기능
- 흡수 기능
- 지지 기능

( )

4 다음 중 뿌리에 양분을 저장하는 식물은 어느 것입니까? ( )

① 파 ② 고추 ③ 고구마
④ 민들레 ⑤ 강아지풀

5 오른쪽은 느티나무의 어느 부분의 모습입니까? (   )

① 꽃 ② 잎 ③ 뿌리
④ 열매 ⑤ 줄기

6 다음 보기 에서 줄기의 생김새에 대한 설명으로 옳은 것을 골라 기호를 쓰시오.

보기
㉠ 모두 굵고 곧게 뻗습니다.
㉡ 모두 땅 위를 기는 듯이 뻗습니다.
㉢ 식물의 종류에 따라 생김새가 다양합니다.

(   )

집중 연습 문제 **줄기에서 물의 이동**

7 오른쪽은 붉은 색소 물에 넣어 둔 백합 줄기를 가로로 자른 모습입니다. 붉게 물든 부분은 무엇을 나타내는지 쓰시오.

(   )이/가 이동한 통로

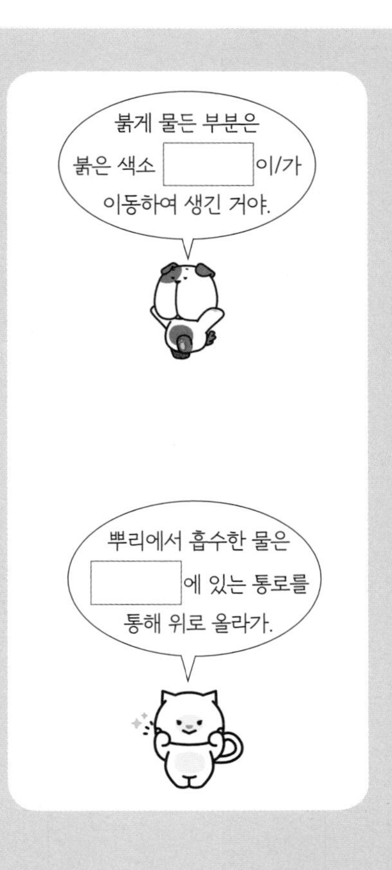

8 다음 중 위 **7**번의 답으로 보아 알 수 있는 줄기가 하는 일은 어느 것입니까? (   )

① 꽃을 만든다.
② 양분을 만든다.
③ 양분을 저장한다.
④ 땅속의 물을 흡수한다.
⑤ 물이 이동하는 통로 역할을 한다.

3일 잎

슬기로운 잎의 광합성 생활!

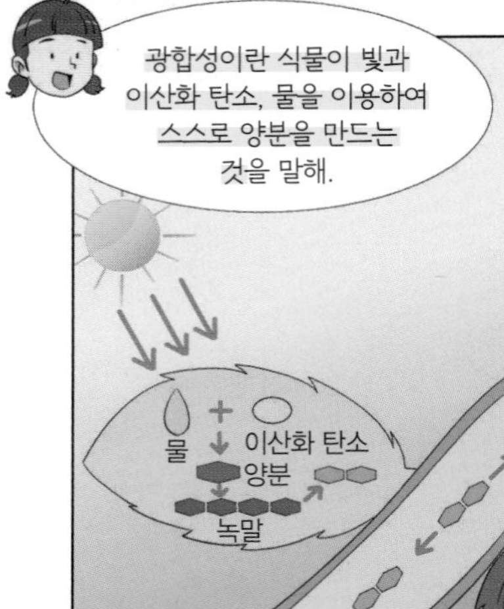

용어 체크

광합성

식물이 빛, 이산화 탄소, 물을 이용하여 스스로 양분을 만드는 것으로 주로 잎에서 일어남.

예 동물은 다른 생물을 먹어서 양분을 얻고 식물은 ❶ ______ 을 해서 양분을 스스로 만든다.

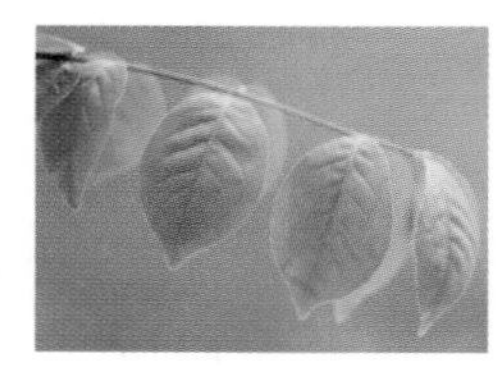
▲ 광합성을 하는 잎

정답 ❶ 광합성

크다커의 증산 작용은 대단해!

용어 체크

증산 작용

잎에 도달한 물이 기공을 통해 식물 밖으로 빠져나가는 것

예 식물에서 증산 작용은 주로 ❶ ______ 에서 일어난다.

기공

주로 식물의 잎에 있는 작은 구멍

예 뿌리에서 흡수되어 잎에 도달한 물은 ❷ ______ 을 통해 식물 밖으로 빠져나간다.

정답 ❶ 잎 ❷ 기공

3일 개념 익히기

1 잎에서 만든 양분을 확인해 볼까?

잎에 아이오딘-아이오딘화 칼륨 용액을 떨어뜨렸을 때

초록색 색소를 제거하여 색깔 변화를 잘 관찰할 수 있게 만듭니다.

▲ 빛을 받지 못한 잎

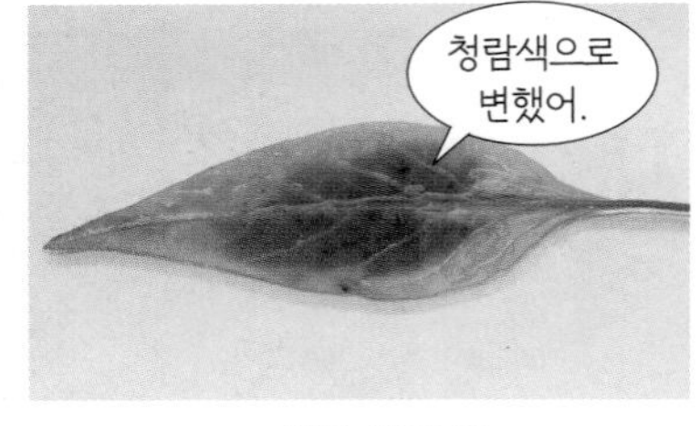

▲ 빛을 받은 잎

알 수 있는 점
- 빛을 받은 잎에서만 **녹말**이 만들어짐.
- 잎이 양분을 만들 때에는 **빛**이 꼭 필요함.

아이오딘-아이오딘화 칼륨 용액은 녹말과 만나면 청람색으로 변하는 성질이 있어.

빛을 ❶(받은 / 받지 않은) 잎에서만 녹말이 만들어집니다.

2 광합성이란 무엇일까?

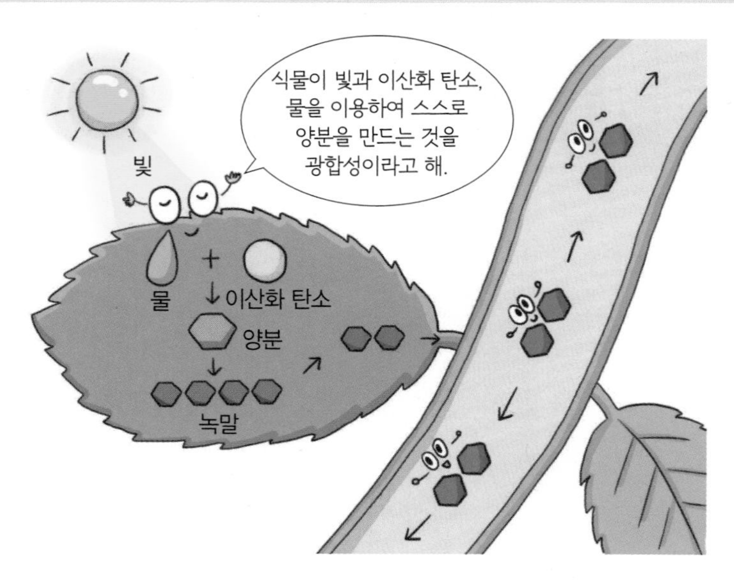

식물이 스스로 양분을 만드는 것을 ❷(광합성 / 흡수)(이)라고 합니다.

3 잎에 도달한 물은 어디로 이동할까?

잎에 도달한 물은 잎의 ❸(기공 / 잎자루)을/를 통해 식물 밖으로 나갑니다.

정답 ❶ 받은 ❷ 광합성 ❸ 기공

개념 체크

정답과 풀이 9쪽

1 빛을 받은 잎에서는 ☐☐이/가 만들어집니다.

2 광합성은 주로 식물의 ☐에서 일어납니다.

3 잎에 도달한 물은 ☐☐ 작용을 통해 식물 밖으로 나갑니다.

보기
- 잎
- 털
- 기름
- 증산
- 흡수
- 녹말

정답과 풀이 10쪽 빠른 정답 보기

1 아이오딘-아이오딘화 칼륨 용액은 녹말과 만나면 어떤 색으로 변합니까? (　　　　)

① 검은색　② 청람색　③ 붉은색
④ 하얀색　⑤ 노란색

2 같은 종류의 식물을 빛이 잘 드는 곳에 두고 다음과 같이 장치했을 때 잎에서 양분이 만들어지는 것의 기호를 쓰시오.

▲ 어둠 상자를 씌우지 않은 것 ▲ 어둠 상자를 씌운 것

(　　　　)

3 다음 보기에서 식물의 광합성에 대한 설명으로 옳은 것을 골라 기호를 쓰시오.

보기
㉠ 주로 뿌리에서 일어납니다.
㉡ 빛은 식물의 광합성에 필요하지 않습니다.
㉢ 식물이 스스로 양분을 만드는 것을 말합니다.

(　　　　)

4 다음 중 식물의 광합성에 필요한 것이 아닌 것을 두 가지 고르시오. (　　,　　)

① 빛　② 물　③ 산소
④ 모래　⑤ 이산화 탄소

잎

5 다음은 식물의 각 부분을 나타낸 것입니다. 증산 작용을 하여 주로 물을 식물 밖으로 내보내는 부분의 기호를 쓰시오.

㉠ 
▲ 줄기

㉡ 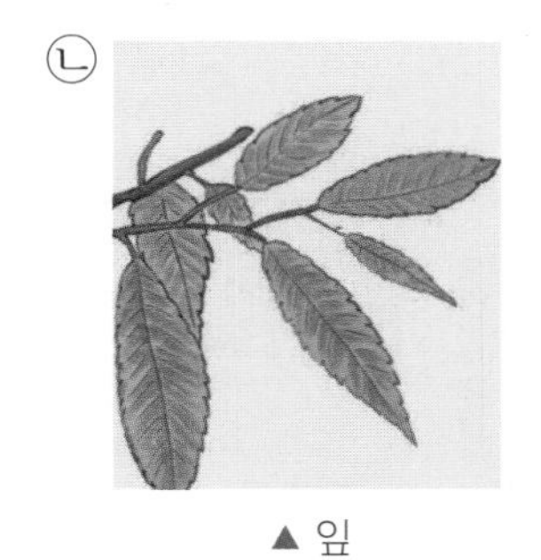
▲ 잎

㉢ 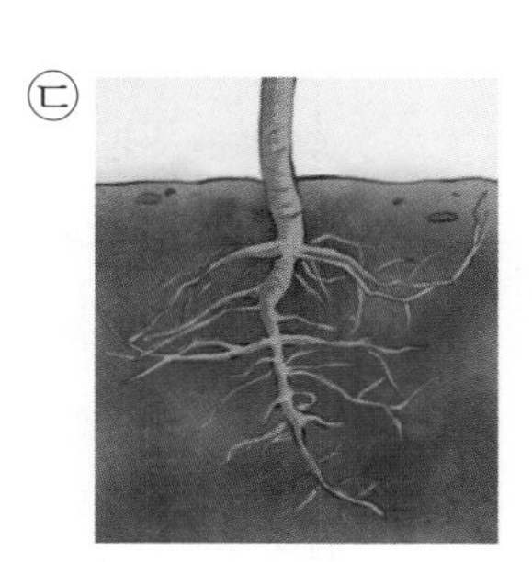
▲ 뿌리

( )

3주

6 다음 중 식물 안에서 물이 이동하는 과정으로 옳은 것은 어느 것입니까? ( )

① 잎 → 줄기 → 식물 밖 → 뿌리
② 잎 → 뿌리 → 줄기 → 식물 밖
③ 뿌리 → 줄기 → 잎 → 식물 밖
④ 뿌리 → 잎 → 식물 밖 → 줄기
⑤ 줄기 → 잎 → 뿌리 → 식물 밖

똑똑한 하루 퀴즈

7 다음 □ 안에 들어갈 알맞은 낱말을 말 상자에서 찾아 모두 ○표를 하세요. 말 상자의 낱말은 가로, 세로, 대각선에 숨어 있어요.

대	곡	광	산
가	합	녹	☆
성	☆	말	면
계	기	공	장

1. 아이오딘-아이오딘화 칼륨 용액은 □□과 만나면 청람색으로 변함.
2. 식물이 빛, 이산화 탄소, 물을 이용하여 스스로 양분을 만드는 것을 □□□이라고 함.
3. 증산 작용은 잎의 □□을 통해서 일어남.

4일 꽃과 열매

지구의 꽃이 최고!

용어 체크

암술

꽃을 이루는 부분으로 꽃가루를 받아 씨를 만드는 부분

예 꽃은 꽃잎, 꽃받침, ❶ [ ], 수술로 이루어져 있다.

수술

꽃을 이루는 부분으로 꽃가루를 만드는 부분

예 꽃가루는 꽃에 있는 ❷ [ ]에서 만들어진다.

정답 ❶ 암술 ❷ 수술

 씨를 만들려면 꽃가루받이는 필수야!

용어 체크

꽃가루받이(수분)

수술에서 만든 꽃가루를 암술로 옮기는 것

예 스스로 움직일 수 없는 ❶ [ ] 은 바람, 물, 곤충, 새 등의 도움을 받아 꽃가루받이가 이루어진다.

▲ 곤충에 의한 꽃가루받이

정답 ❶ 예 식물

4일 개념 익히기

1 꽃은 무엇으로 이루어져 있을까?

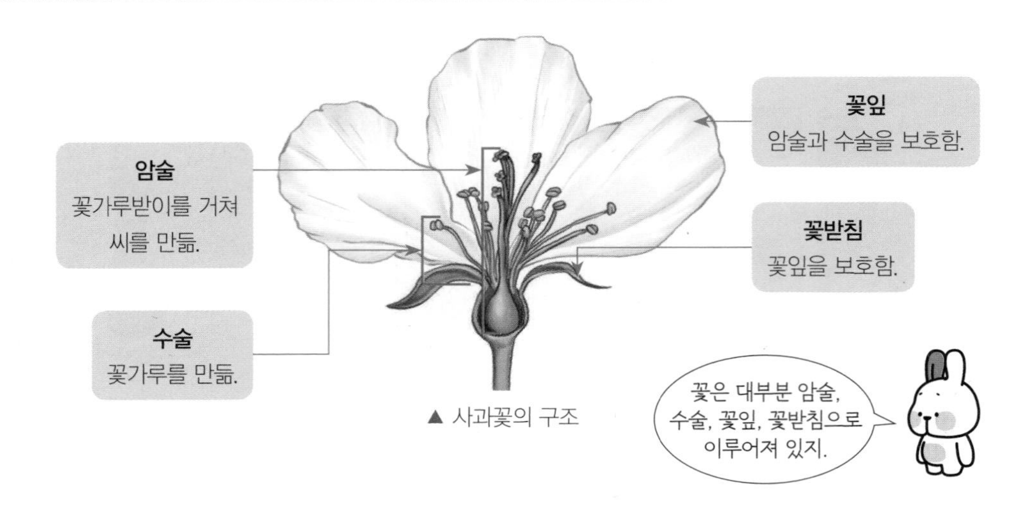

▲ 사과꽃의 구조

꽃은 대부분 암술, 수술, 꽃잎, ❶(가시 / 꽃받침)(으)로 이루어져 있습니다.

2 꽃이 하는 일은 무엇일까?

꽃은 꽃가루받이(수분)를 거쳐 씨를 만드는 일을 함.

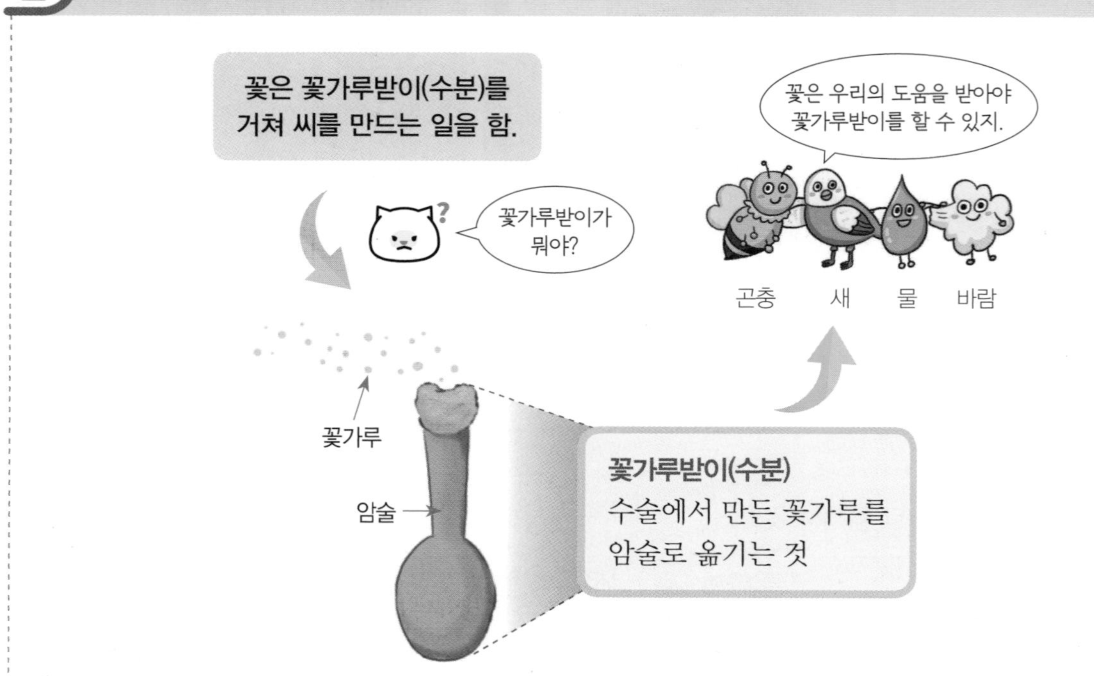

꽃은 꽃가루받이를 거쳐 ❷(꿀 / 씨)을/를 만듭니다.

3 열매의 생김새와 하는 일을 알아볼까?

열매의 생김새

씨와 껍질로 이루어져 있음.

▲ 사과

열매가 하는 일

어린 씨를 보호하고, 익은 씨를 멀리 퍼뜨림.

열매는 어린 ❸(꽃 / 씨)을/를 보호합니다.

4 식물은 씨를 어떻게 퍼뜨릴까?

도깨비바늘

갈고리가 있어 사람의 옷이나 동물의 털에 붙어서 퍼짐.

민들레

솜털이 있어 바람에 날려서 퍼짐.

벚나무

동물에게 먹힌 뒤 씨가 똥과 함께 나와 퍼짐.

열매의 생김새에 따라 씨를 퍼뜨리는 방법은 ❹(같습니다 / 다양합니다).

정답 ❶ 꽃받침 ❷ 씨 ❸ 씨 ❹ 다양합니다

개념 체크

정답과 풀이 10쪽

1 꽃에서 꽃잎을 보호하는 부분은 ☐☐☐입니다.

2 수술에서 만든 ☐☐☐을/를 암술로 옮기는 것을 꽃가루받이라고 합니다.

3 식물이 씨를 퍼뜨리는 방법은 열매의 ☐☐☐에 따라 다릅니다.

보기
- 갈고리
- 생김새
- 광합성
- 꽃받침
- 꽃가루
- 뿌리털

개념 확인하기

○ 정답과 풀이 10쪽

1 다음 중 대부분의 꽃을 이루고 있는 부분이 아닌 것은 어느 것입니까? (　　　　)

① 꽃잎　　② 가시　　③ 수술
④ 암술　　⑤ 꽃받침

2 다음 보기에서 꽃의 구조 중 수술이 하는 일로 옳은 것을 골라 기호를 쓰시오.

보기
㉠ 꽃잎을 보호합니다.　　㉡ 꽃가루를 만듭니다.
㉢ 암술을 보호합니다.　　㉣ 꽃가루를 받습니다.

(　　　　　　　　)

3 오른쪽은 사과꽃의 구조를 나타낸 것입니다. ㉠ 부분의 이름을 쓰시오.

(　　　　　　　　)

㉠

4 다음은 식물의 각 부분 중 무엇이 하는 일을 나타낸 것인지 쓰시오.

어린 씨를 보호하고 씨가 익으면 멀리 퍼뜨립니다.

(　　　　　　　　)

5 다음 중 바람에 날려서 씨가 퍼지는 것을 골라 기호를 쓰시오.

㉠ 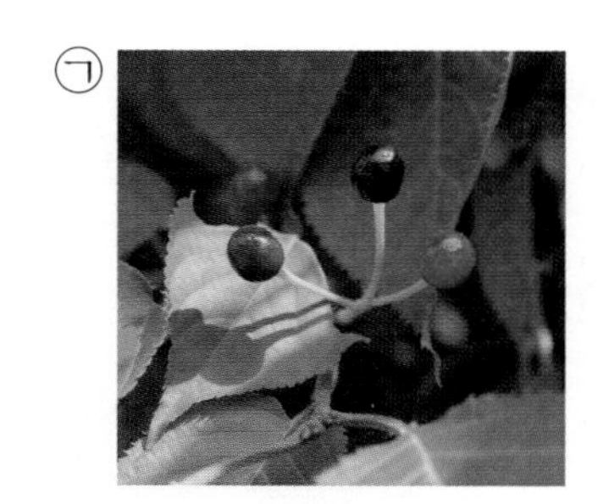
▲ 벚나무

㉡ 
▲ 도깨비바늘

㉢ 
▲ 민들레

(　　　　　　　　　)

집중 연습 문제 꽃가루받이

6 오른쪽은 꽃가루받이가 이루어지는 과정을 나타낸 것입니다. 암술로 옮겨지는 ㉠은 무엇입니까? (　　　　)

① 물　② 양분
③ 떡잎　④ 꽃가루
⑤ 뿌리털

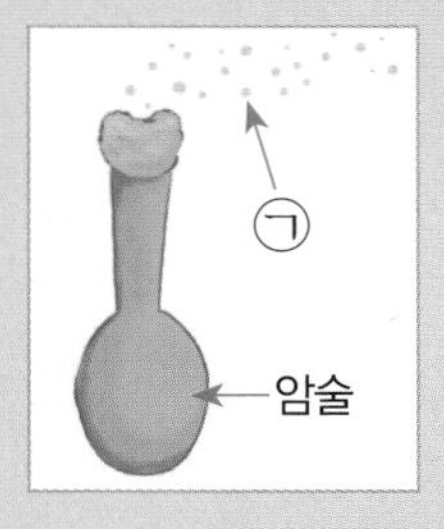

꽃가루받이는 '수분'이라고도 해.

7 오른쪽의 코스모스는 곤충의 도움을 받아 꽃가루받이가 이루어집니다. 이처럼 곤충 외에 식물의 꽃가루받이를 도와주는 것을 두 가지 쓰시오.

(　　　　　,　　　　　)

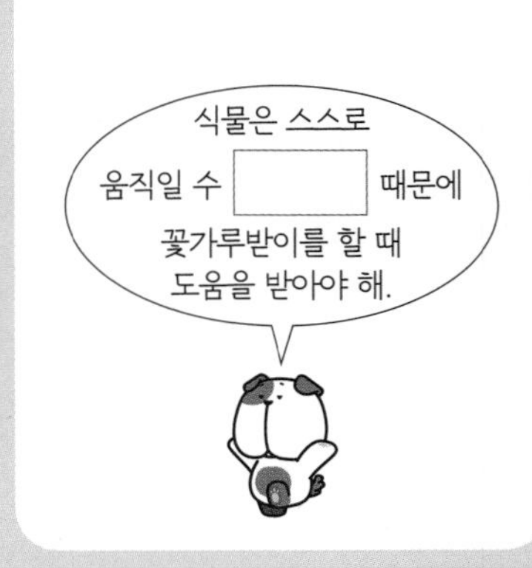

3주 마무리하기 핵심

1 식물 세포

① **식물 세포의 구조** : 세포벽과 세포막으로 둘러 싸여 있고 그 안에는 핵이 있습니다.

② **식물 세포와 동물 세포의 공통점과 차이점**

세포는 현미경을 사용해 크게 확대해서 관찰해야 해.

구분	식물 세포	동물 세포
모습	핵, 세포벽, 세포막	
공통점	• 핵과 세포막이 있음. • 크기가 매우 작아 맨눈으로 관찰하기 어려움.	
차이점	세포벽이 있음.	세포벽이 없음.

2 뿌리와 줄기

뿌리가 하는 일	• **지지 기능** : 땅속으로 뻗어 식물을 지지함. • **흡수 기능** : 땅속으로 뻗어 물을 흡수함. • **저장 기능** : 잎에서 만든 양분을 저장하기도 함. 예 고구마, 당근, 무 등
줄기가 하는 일	뿌리에서 흡수한 물과 잎에서 만든 양분을 식물 전체로 보냄.

3 잎

증산 작용은 뿌리에서 흡수한 물을 식물 꼭대기까지 끌어 올릴 수 있도록 도와.

① **잎이 하는 일** : 광합성, 증산 작용

② **광합성** : 식물이 빛, 이산화 탄소, 물을 이용하여 스스로 양분을 만드는 것

③ **증산 작용** : 잎에 도달한 물이 기공을 통해 식물 밖으로 빠져나가는 것

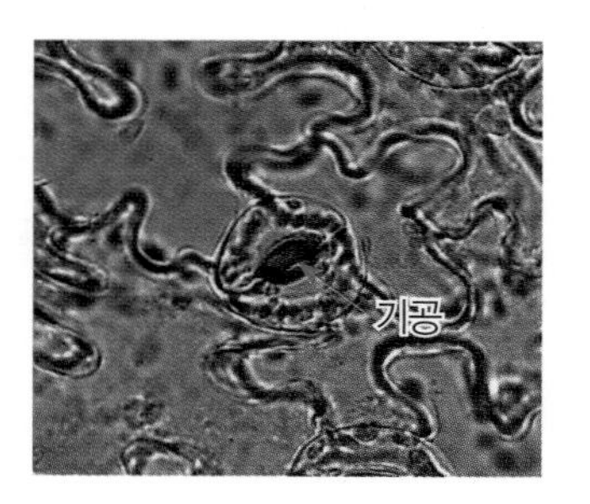

4 꽃과 열매

① **꽃의 생김새** : 대부분 암술, 수술, 꽃잎, 꽃받침으로 이루어져 있습니다.

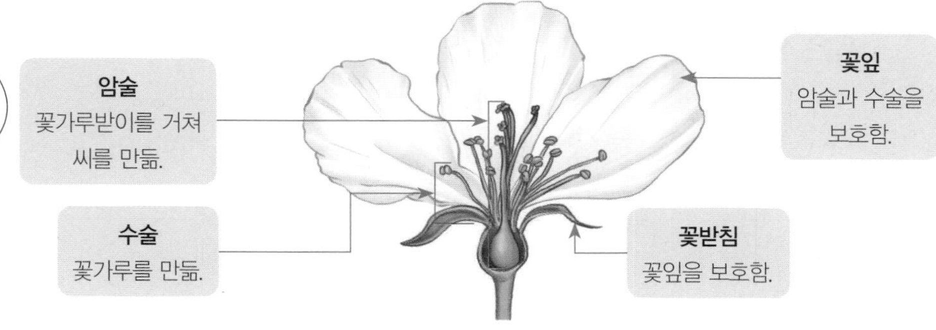

▲ 사과꽃의 구조

② **꽃이 하는 일**

하는 일	꽃가루받이(수분)를 거쳐 씨를 만듦.
꽃가루받이(수분)	수술에서 만든 꽃가루를 암술로 옮기는 것

③ **열매의 생김새와 하는 일**

생김새	씨와 씨를 둘러싼 껍질로 이루어져 있음.
하는 일	• 어린 씨를 보호함. • 익은 씨를 멀리 퍼뜨림.

다람쥐의 건망증 덕분에 씨가 퍼진다고?

다람쥐는 가을이 되면 도토리나 밤 등을 땅속 이곳저곳에 만든 저장 창고에 저장해 둡니다. 다람쥐가 이렇게 먹이를 저장해 두는 이유는 겨울잠을 자기 때문입니다.

다람쥐는 겨울잠을 자는 동안에 날씨가 따뜻해지면 깨어나 저장해 둔 먹이를 먹은 후에 다시 잠을 잡니다. 그러니까 먹이가 풍부한 가을에 먹이를 모아서 저장해 두는 것이지요. 그런데 다람쥐는 먹이를 숨겨 놓은 장소를 잘 잊어버려요. 그래서 다람쥐가 찾아 먹지 못한 것들은 다음 해 봄에 싹을 틔운답니다.

1일 식물 세포

1 다음은 생물을 이루는 것 중 무엇에 대한 설명인지 쓰시오.

- 생물을 이루는 기본 단위입니다.
- 모든 생물은 이것으로 이루어져 있습니다.

( )

2 오른쪽은 식물 세포의 모습을 나타낸 것입니다. ㉠ 부분의 이름으로 옳은 것은 어느 것입니까? ( )

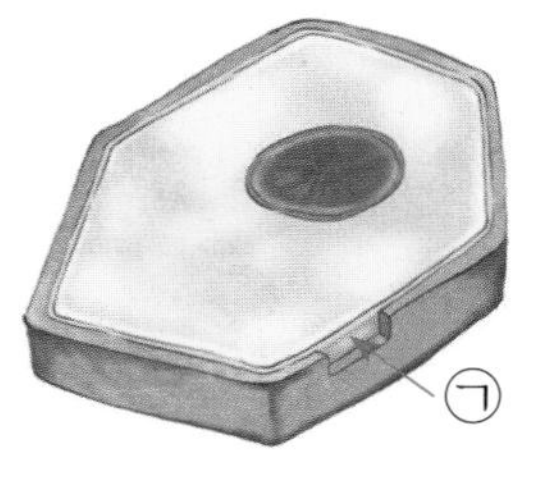

① 핵 ② 줄기 ③ 뿌리
④ 세포막 ⑤ 세포벽

3 다음 보기에서 식물 세포의 각 부분이 하는 일을 바르게 짝지은 것을 골라 기호를 쓰시오.

보기
㉠ 세포벽 : 생명 활동을 조절해 줍니다.
㉡ 핵 : 세포 모양을 일정하게 유지합니다.
㉢ 세포막 : 세포 내부와 외부를 드나드는 물질의 출입을 조절해 줍니다.

( )

4 다음 중 식물 세포와 동물 세포에 대한 설명으로 옳은 것은 어느 것입니까? ( )

① 핵은 동물 세포에만 있다.
② 세포벽은 식물 세포에만 있다.
③ 세포막은 동물 세포에만 있다.
④ 동물 세포는 맨눈으로 관찰하기 쉽다.
⑤ 식물 세포와 동물 세포에는 모두 세포막이 없다.

2일 뿌리와 줄기

5 다음 중 식물 뿌리에 대한 설명으로 옳지 않은 것은 어느 것입니까? (　　　　)

① 물을 흡수한다.

② 식물을 지지한다.

③ 주로 땅속으로 자란다.

④ 공통적으로 뿌리털을 가지고 있다.

⑤ 식물의 종류와 관계없이 뿌리의 생김새가 모두 같다.

6 다음 중 뿌리에 양분을 저장하고 있는 식물은 어느 것입니까? (　　　　)

① 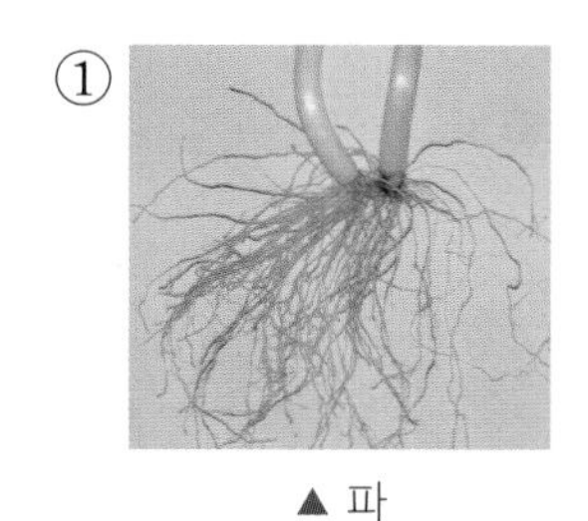
▲ 파

②  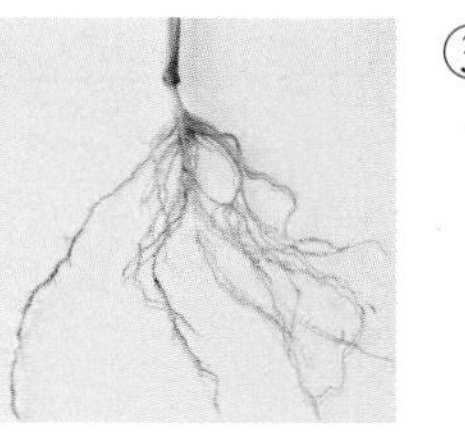
▲ 강아지풀

③
▲ 당근

④ 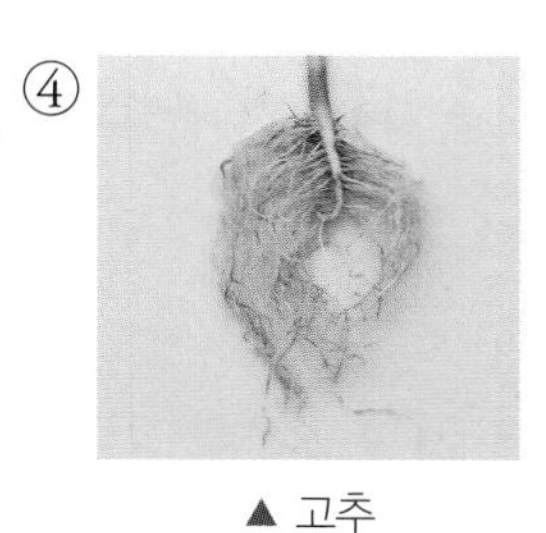
▲ 고추

7 오른쪽에서 붉은 색소 물에 넣어 둔 백합 줄기를 가로로 자른 모습으로 옳은 것의 기호를 쓰시오.

(　　　　　　　　)

㉠ 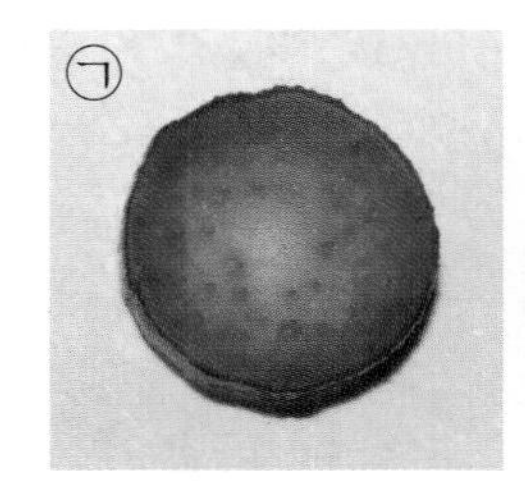

㉡ 

8 다음은 뿌리에서 흡수한 물의 이동에 대한 설명입니다. □ 안에 들어갈 알맞은 말을 쓰시오.

> 뿌리에서 흡수한 물은 □에 있는 통로를 거쳐 식물 전체로 이동합니다.

(　　　　　　　　)

3일 잎

9 다음은 잎에 아이오딘-아이오딘화 칼륨 용액을 떨어뜨린 모습입니다. 이 중 빛을 받은 잎의 기호를 쓰시오.

㉠ 

▲ 색깔 변화가 없음.

㉡ 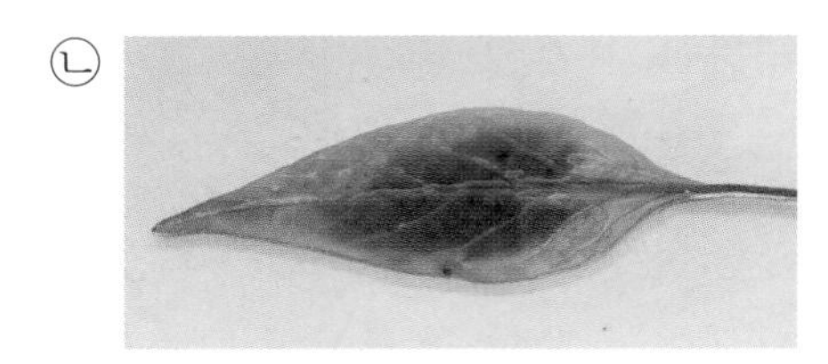

▲ 청람색으로 변함.

(　　　　　　　　)

10 다음 중 식물이 빛과 이산화 탄소, 물을 이용하여 스스로 양분을 만드는 것을 무엇이라고 합니까? (　　　)

① 광합성　② 증산 작용　③ 흡수 작용
④ 저장 작용　⑤ 꽃가루받이

서술형

11 오른쪽과 같이 나뭇가지에 비닐봉지를 씌워 두면 비닐봉지 안에 물방울이 생깁니다. 이러한 현상이 나타나는 까닭을 쓰시오.

뿌리에서 흡수한 물이 ________________________

____

4일 꽃과 열매

12 다음 중 꽃에서 꽃가루받이를 거쳐 씨를 만드는 부분은 어느 것입니까? (　　　)

① 꽃잎　② 수술　③ 암술
④ 꽃받침　⑤ 뿌리털

13 다음 보기에서 꽃이 하는 일을 골라 기호를 쓰시오.

보기
㉠ 어린 씨를 보호합니다.
㉡ 꽃가루받이를 거쳐 씨를 만듭니다.
㉢ 빛을 받아 스스로 양분을 만듭니다.

( )

3주

14 다음 중 도깨비바늘의 씨가 퍼지는 방법으로 옳은 것은 어느 것입니까? ( )

① 바람에 날려서 퍼진다.
② 동물에게 먹혀서 퍼진다.
③ 빙글빙글 돌며 날아간다.
④ 동물의 털에 붙어서 퍼진다.
⑤ 열매껍질이 터지며 튀어 나간다.

똑똑한 하루 퀴즈

15 다음 십자말풀이를 해 보세요.

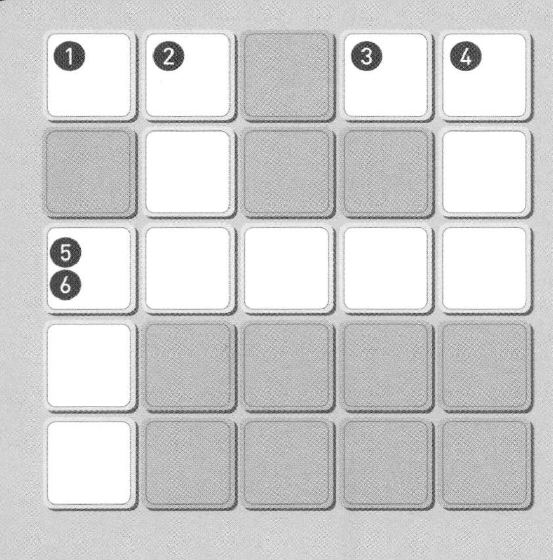

가로
1 뿌리는 땅속의 물을 □□함.
3 뿌리에서 흡수한 물을 식물 전체로 보내는 부분
5 수술에서 만든 꽃가루를 암술로 옮기는 것

세로
2 꽃에서 꽃가루를 만드는 부분
4 증산 작용이 일어나는 곳. 잎의 □□
6 꽃에서 꽃잎을 보호하는 부분

맞은 개수 /10개

1 다음을 식물 세포의 각 부분이 하는 역할에 맞게 줄로 바르게 이으시오.

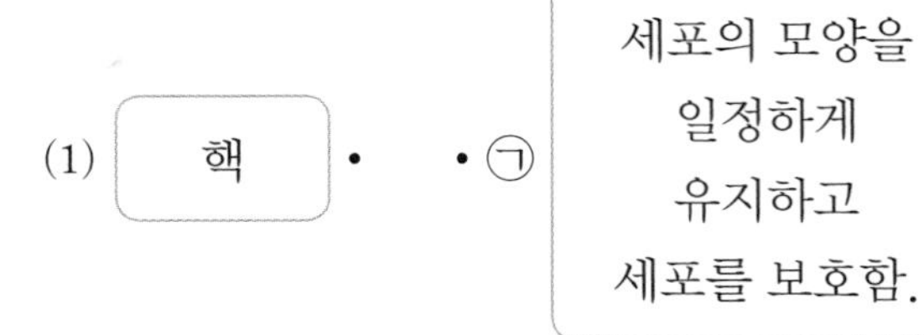

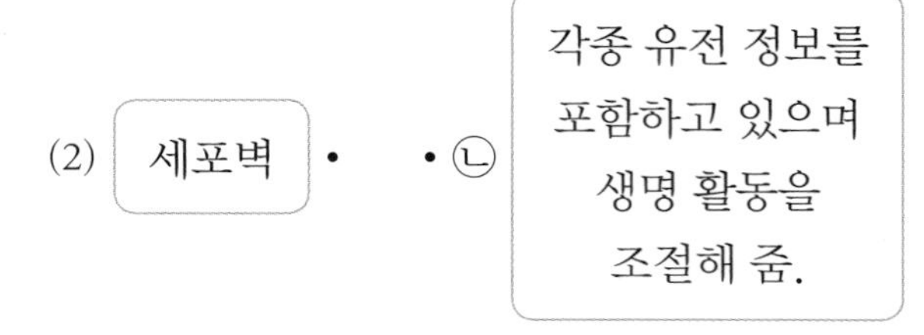

2 다음은 식물 세포와 동물 세포의 구조를 나타낸 것입니다. 식물 세포와 동물 세포에 공통적으로 있는 ㉠ 부분의 이름을 쓰시오.

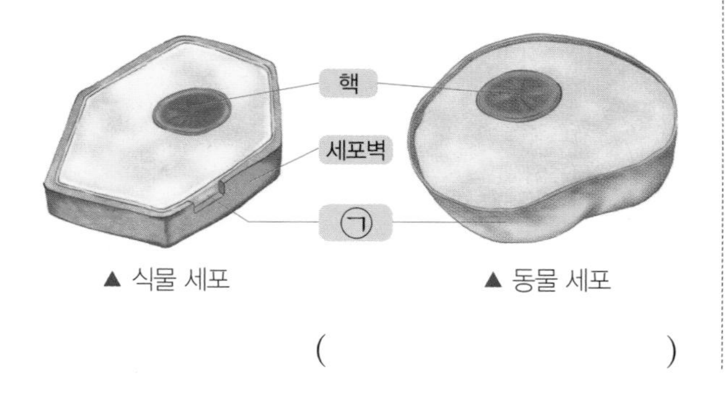

▲ 식물 세포 ▲ 동물 세포

( )

3 다음 중 뿌리에 양분을 저장하고 있는 식물이 아닌 것은 어느 것입니까? ( )

① ▲ 당근 ② ▲ 고구마 ③ ▲ 고추 ④ ▲ 무

4 다음 보기 에서 식물의 뿌리가 하는 일을 골라 기호를 쓰시오.

보기
㉠ 양분을 만듭니다.
㉡ 꽃을 보호합니다.
㉢ 땅속으로 뻗어 물을 흡수합니다.

( )

5 다음 식물의 각 부분 중 뿌리에서 흡수한 물을 식물 전체로 보내는 일을 하는 것은 어느 것입니까? ( )

① 잎 ② 꽃 ③ 씨
④ 줄기 ⑤ 열매

6 다음을 읽고, 잎에서 만드는 양분에 대한 설명으로 옳은 것은 ○표, 옳지 않은 것은 ×표를 하시오.

(1) 잎에서 만들어지는 양분은 녹말입니다. ( )

(2) 빛을 받은 잎에서만 양분이 만들어집니다. ( )

(3) 잎이 양분을 만들 때에는 산소가 꼭 필요합니다. ( )

7 다음 중 증산 작용에 대한 설명으로 옳은 것을 두 가지 고르시오. (,)

① 식물이 씨를 만드는 것을 말한다.
② 잎에 있는 기공을 통해 일어난다.
③ 뿌리에 있는 뿌리털을 통해 일어난다.
④ 식물이 스스로 양분을 만드는 것을 말한다.
⑤ 잎에서 식물 밖으로 물을 내보내는 것을 말한다.

8 다음은 꽃가루받이에 대한 설명입니다. □ 안에 들어갈 알맞은 말을 쓰시오.

> 꽃가루받이란 수술에서 만든 꽃가루를 □(으)로 옮기는 것을 말합니다.

( )

9 다음 보기 에서 식물의 각 부분 중 열매에 대한 설명으로 옳지 않은 것을 골라 기호를 쓰시오.

> 보기
> ㉠ 어린 씨를 보호합니다.
> ㉡ 익은 씨를 멀리 퍼뜨립니다.
> ㉢ 씨와 껍질로 이루어져 있습니다.
> ㉣ 꽃가루받이가 이루어지게 돕습니다.

( )

10 다음을 각 식물이 씨를 퍼뜨리는 방법에 맞게 줄로 바르게 이으시오.

(1) 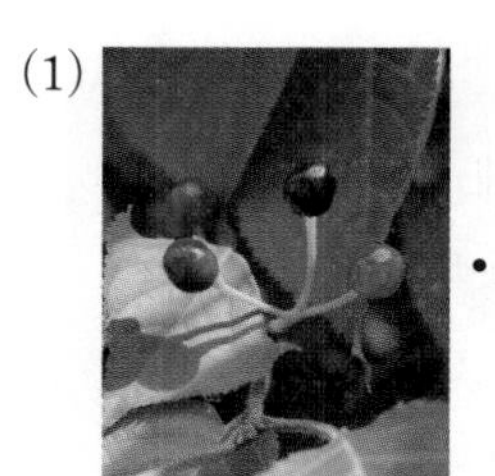
▲ 벚나무

(2) 
▲ 민들레

(3) 
▲ 도깨비바늘

• ㉠ 동물에게 먹혀서 퍼짐.

• ㉡ 사람의 옷이나 동물의 털에 붙어서 퍼짐.

• ㉢ 바람에 날려서 퍼짐.

3주

창의·융합·코딩

생활 속 과학

잎에서 만든 양분을 뿌리와 줄기에 저장하는 식물을 알아봅니다.

고구마와 감자는 뿌리일까, 줄기일까?

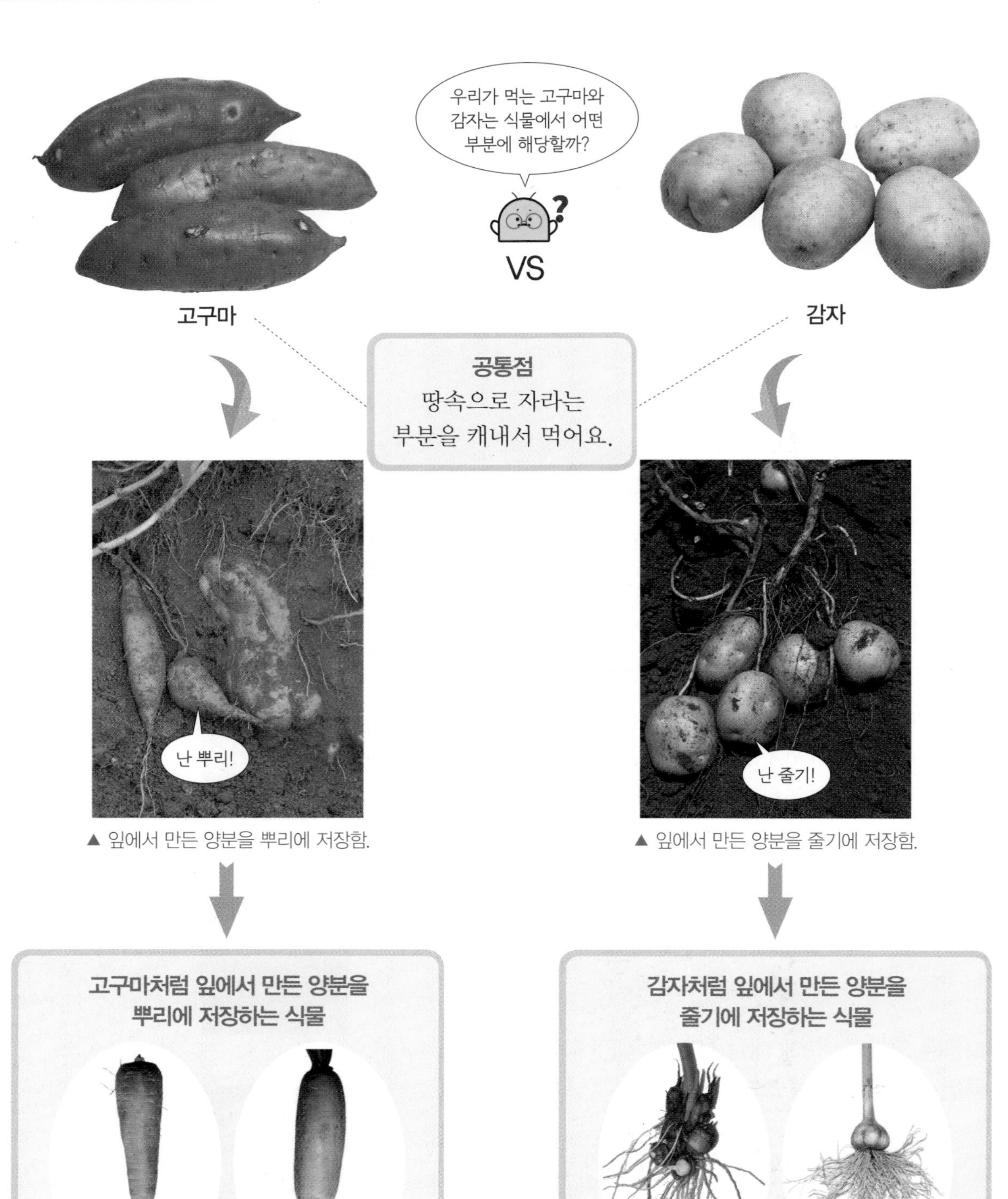

1 두더지가 설명을 읽고 설명이 옳으면 ○, 옳지 않으면 ×로 표시되어 있는 길을 따라가야 집에 도착할 수 있어요. 두더지가 집에 잘 도착할 수 있도록 선으로 이어 보세요.

사고 쑥쑥

잎의 모양이 대부분 납작한 까닭을 잎이 하는 일과 관련지어 생각해 봅니다.

2 다음 만화를 읽고, 잎의 모양이 대부분 납작한 까닭은 무엇일지 생각해서 써 보세요.

정답

잎이 납작하면 ______________________________ 을/를 더 많이 받을 수 있기 때문이다.

가뭄이 계속되는 날에 식물의 각 부분이 하는 일을 생각해 봅니다.

3 동물 친구들이 모여 식물 역할극 놀이를 하려고 해요. 가뭄이 계속되는 날에 각 역할을 맡은 식물의 부분과 어울리는 대사에 맞게 줄로 바르게 이으세요.

(1)

(2)

(3)

(4)

• ㉠ 난 꼭 필요한 부분으로 물을 먼저 이동시킬게.

• ㉡ 물이 충분해질 때까지 꽃을 피우는 것을 미룰게.

• ㉢ 나는 더 깊은 곳까지 내려가서 물을 찾아볼게.

• ㉣ 난 몸을 늘어뜨려 빛을 받는 양을 줄일게.

3 주

논리 탄탄

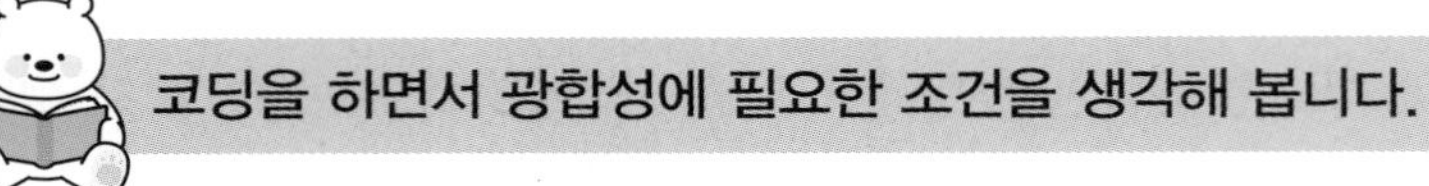

코딩을 하면서 광합성에 필요한 조건을 생각해 봅니다.

4 다음의 코딩 명령어를 보고 코딩을 했을 때 버리가 도착하게 되는 칸에 ○표 하세요.

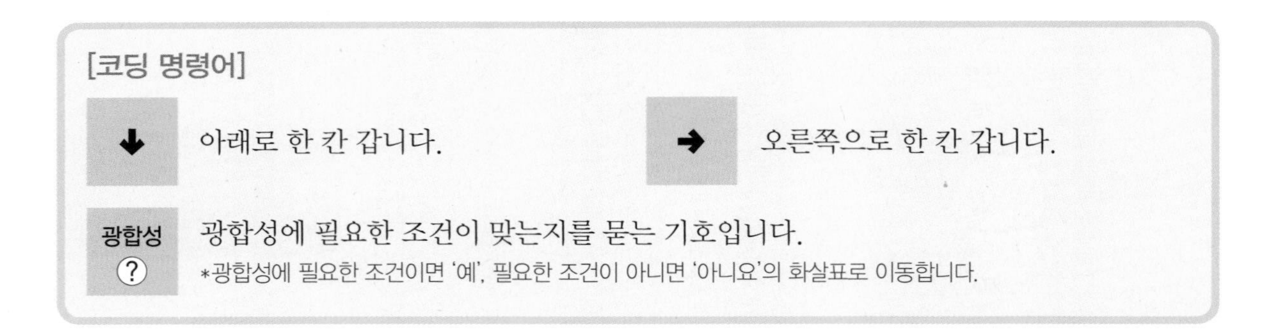

[코딩 명령어]

↓ 아래로 한 칸 갑니다.

→ 오른쪽으로 한 칸 갑니다.

광합성 ? 광합성에 필요한 조건이 맞는지를 묻는 기호입니다.

*광합성에 필요한 조건이면 '예', 필요한 조건이 아니면 '아니요'의 화살표로 이동합니다.

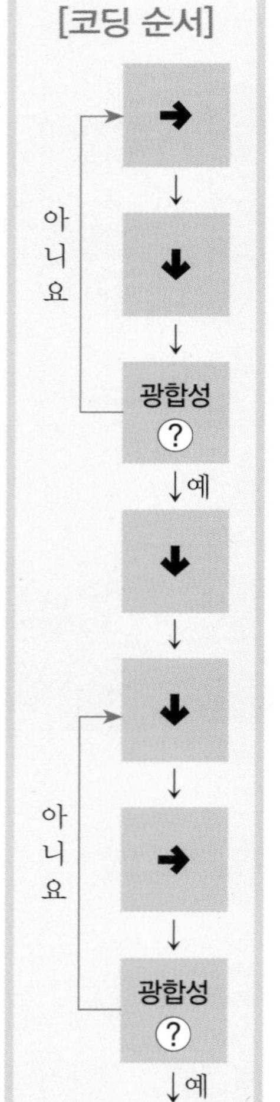

만화를 읽고 식물의 꽃이 하는 일을 생각해 봅니다.

5 암호 해독표를 보고 영리와 우수가 라플레시아로부터 도망칠 수 있도록 만화 속 암호문을 풀어 보세요.

암호 해독표

!	@	#	%	&	*	?	~	$
ㄱ	ㄷ	ㄹ	ㅂ	ㅇ	ㅊ	ㄲ	ㄸ	ㅃ
1	2	3	4	5	6	7	8	9
ㅏ	ㅑ	ㅓ	ㅕ	ㅗ	ㅛ	ㅜ	ㅠ	ㅣ

해독한 암호문

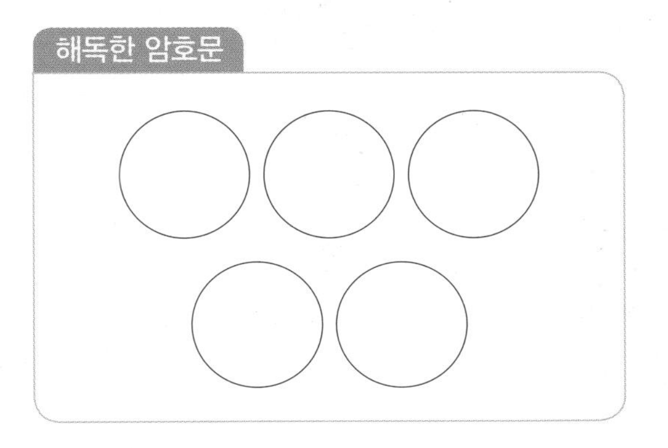

빛과 렌즈

이번 주에는 무엇을 공부할까? 1

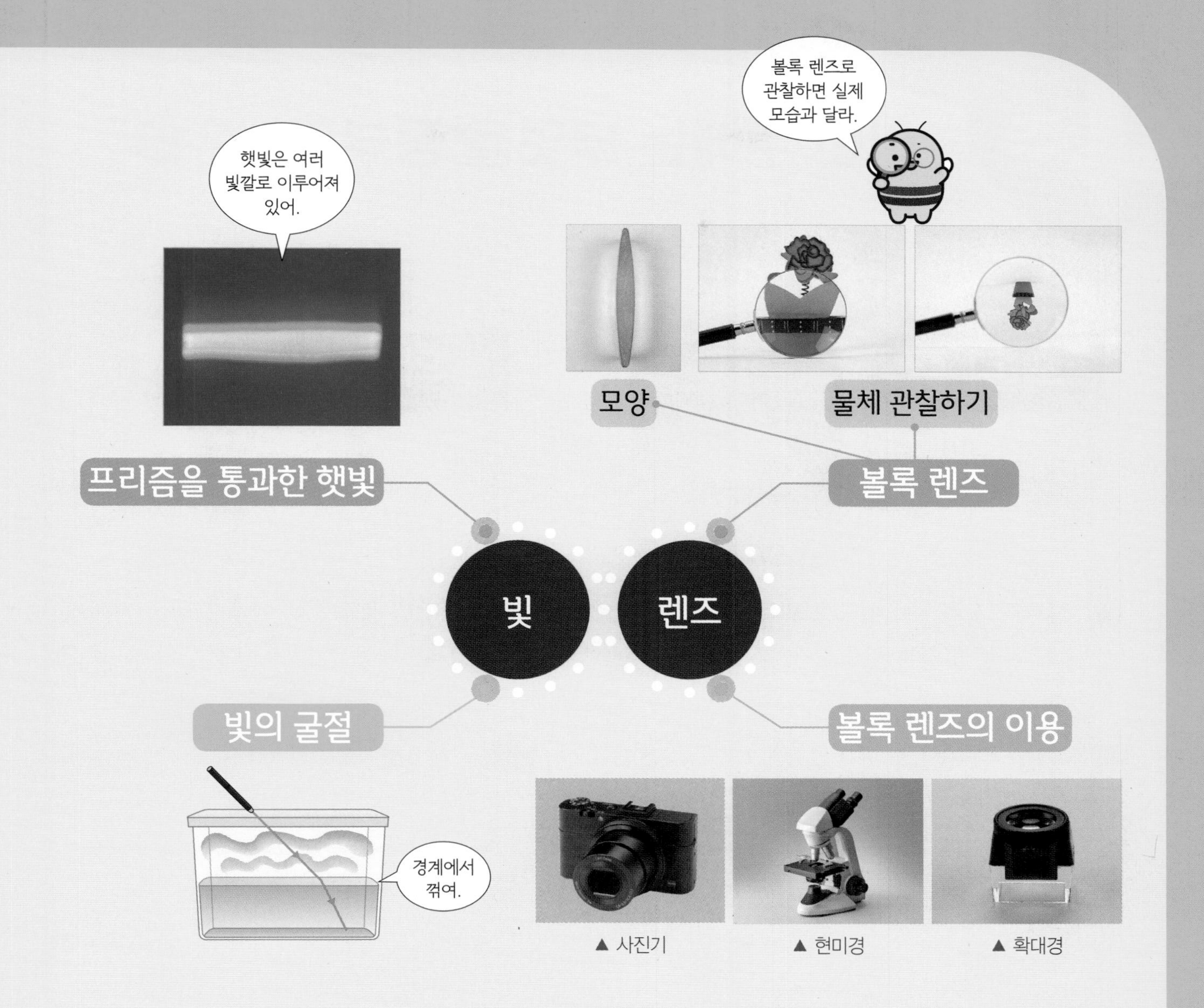

▲ 사진기 ▲ 현미경 ▲ 확대경

빛이 유리나 물, 볼록 렌즈를 통과하면서 꺾여 나아가는 현상을 알고, 볼록 렌즈나 간이 사진기로 물체를 보면 어떻게 보이는지 기억해!

4주 핵심 용어 이번 주에는 무엇을 공부할까? ②

프리즘

prism

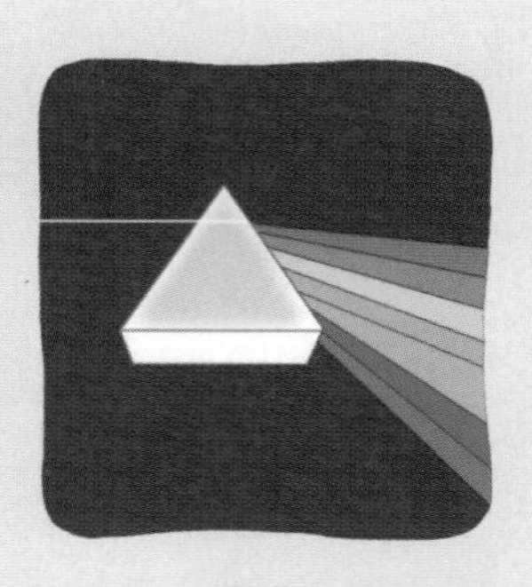

뜻 **유리나 플라스틱 등으로 만들어진 투명한 삼각기둥 모양의 기구**

예 햇빛을 **프리즘**에 통과시키면 무지개 같은 빛깔이 나타나요.

빛의 굴절

屈 折

굽을 굴 꺾을 절

뜻 **빛이 한 물질에서 다른 물질로 나아갈 때 경계면에서 그 진행 방향이 꺾여 나아가는 현상**

예 빛의 **굴절** 때문에 물속의 물고기가 실제 위치보다 떠 보여요.

프리즘, 볼록 렌즈에서도 빛의 굴절이 나타나.

볼록 렌즈

lens

뜻 **가운데 부분이 가장자리보다 두꺼워 가운데가 볼록한 렌즈**

예 할머니는 작은 글씨가 잘 보이지 않아 **볼록 렌즈**로 만든 돋보기안경을 쓰세요.

간이 사진기

簡 易

간단할 간 쉬울 이

거꾸로 보여!

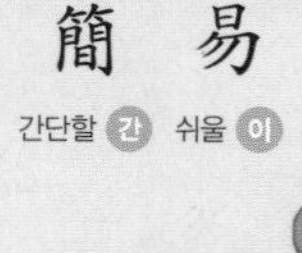

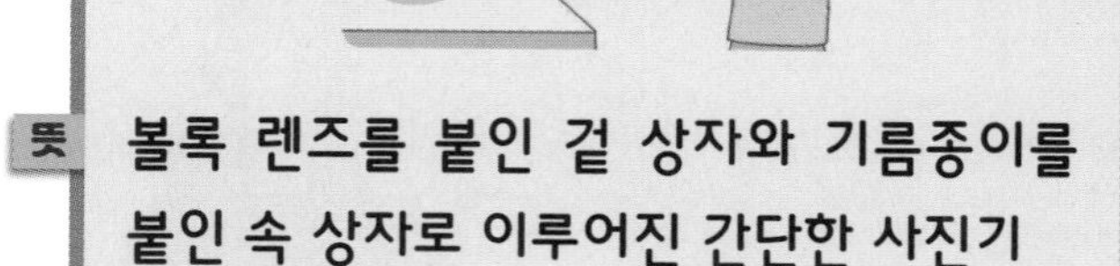

뜻 **볼록 렌즈를 붙인 겉 상자와 기름종이를 붙인 속 상자로 이루어진 간단한 사진기**

예 **간이 사진기**로 물체를 보면 상하좌우가 바뀐 모습으로 기름종이에 맺혀 물체가 거꾸로 보여요.

빛과 렌즈에 관련된 용어가 있어. 특히 빛의 굴절, 볼록 렌즈 등의 용어와 개념은 꼭 기억해.

돋보기

뜻 **볼록 렌즈를 이용하여 작은 물체를 확대해 관찰하도록 만든 기구**

예 탐정은 범인이 남긴 증거를 **돋보기**로 확대하여 관찰하였어요.

현미경

顯 微 鏡

나타날 현 작을 미 거울 경

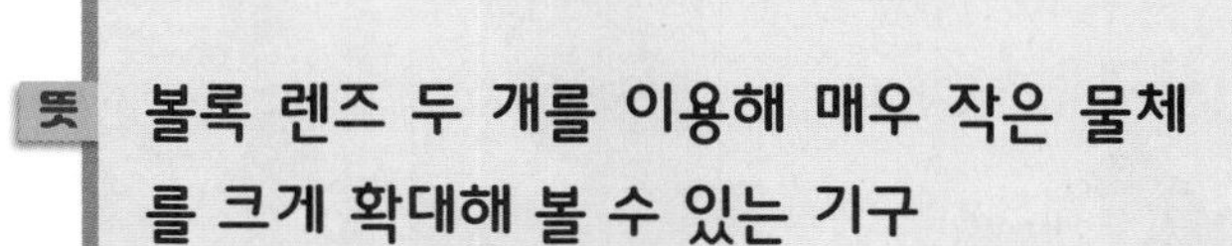

뜻 **볼록 렌즈 두 개를 이용해 매우 작은 물체를 크게 확대해 볼 수 있는 기구**

예 짚신벌레와 같이 맨눈으로 관찰하기 어려운 생물은 **현미경**으로 자세히 볼 수 있어요.

망원경

望 遠 鏡

바랄 망 멀 원 거울 경

뜻 **볼록 렌즈를 이용하여 먼 곳에 있는 물체를 확대해 뚜렷하게 볼 수 있는 기구**

예 천체 **망원경**으로 지구에서 멀리 떨어진 달이나 별 등을 관찰할 수 있어요.

1일 빛의 굴절

햇빛이 프리즘을 통과하면 어떻게 될까?

용어 체크

프리즘

유리나 플라스틱 등으로 만들어진 투명한 삼각기둥 모양의 기구. 빛의 굴절을 이용하여 여러 가지 빛깔로 나누어지는 현상이 일어남.

예 ❶ [ ] 을 통과한 햇빛은 여러 가지 빛깔로 나타난다.

정답 ❶ 프리즘

빛이 꺾인다고!

4주

용어 체크

경계

어떤 물질과 다른 물질 사이가 구별되고 나누어지는 범위나 면

예 수면은 공기와 물의 ❶ [ ] 가 되는 면을 말한다.

빛의 굴절

빛이 한 물질에서 다른 물질로 나아갈 때 경계면에서 진행 방향이 꺾여 나아가는 현상

예 빛이 수면을 비스듬히 지나면 수면을 통과할 때 ❷ [ ] 된다.

정답 ❶ 경계 ❷ 굴절

1일 개념 익히기

1 햇빛은 어떤 빛깔일까?

프리즘을 통과한 햇빛

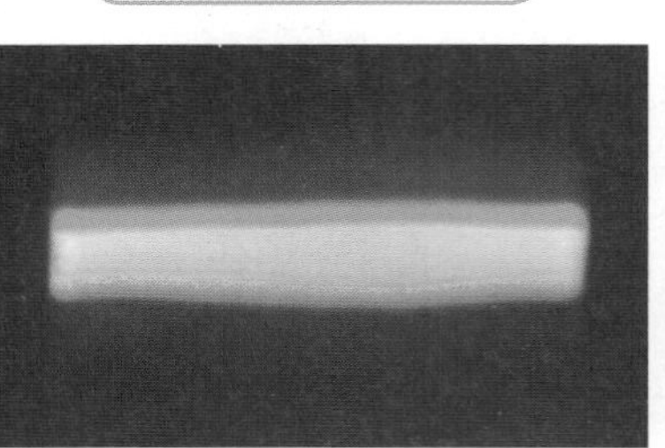

▲ 하얀색 도화지에 여러 가지 빛깔로 나타남.

비가 내린 뒤 햇빛이 비칠 때

▲ 무지개에서 여러 가지 빛깔의 모습을 볼 수 있음.

- **햇빛이 여러 가지 빛깔로 이루어져 있다**는 것을 알 수 있음.
- 햇빛이 프리즘 또는 물방울을 통과할 때 빛깔에 따라 굴절하는 정도가 달라지며 여러 가지 빛깔로 나누어짐.

☑ 햇빛은 **여러 가지 빛깔로 이루어져 ❶(있습니다 / 있지 않습니다).**

2 빛이 공기와 물의 경계에서 어떻게 나아갈까?

빛을 수면에 비스듬하게 비출 때		빛을 수면에 수직으로 비출 때
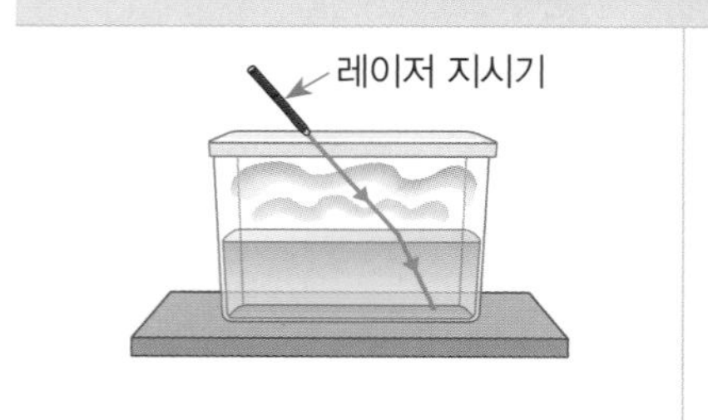 레이저 지시기		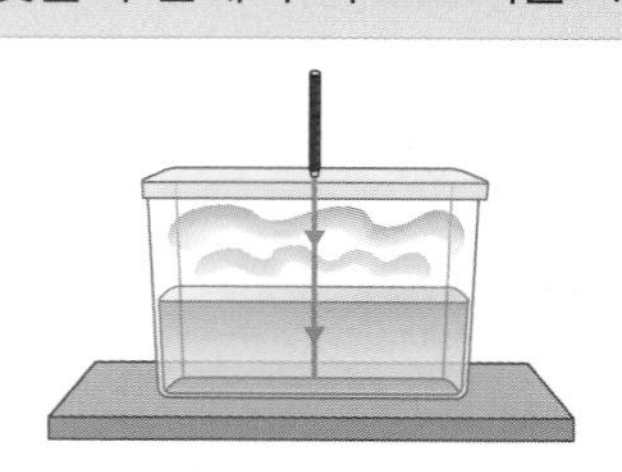
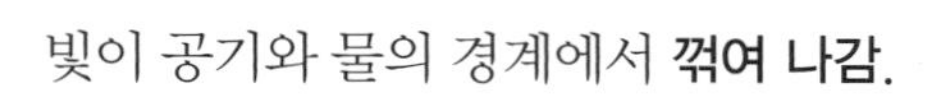 빛이 공기와 물의 경계에서 **꺾여 나감.**		빛이 공기와 물의 경계에서 꺾이지 않고 **그대로 나아감.**

☑ 빛을 비스듬히 비출 때 **빛은 공기와 물의 경계에서 ❷(꺾여 / 그대로) 나아갑니다.**

3 물속에 있는 물체는 어떻게 보일까?

우리 생활에서 볼 수 있는 빛의 굴절 현상

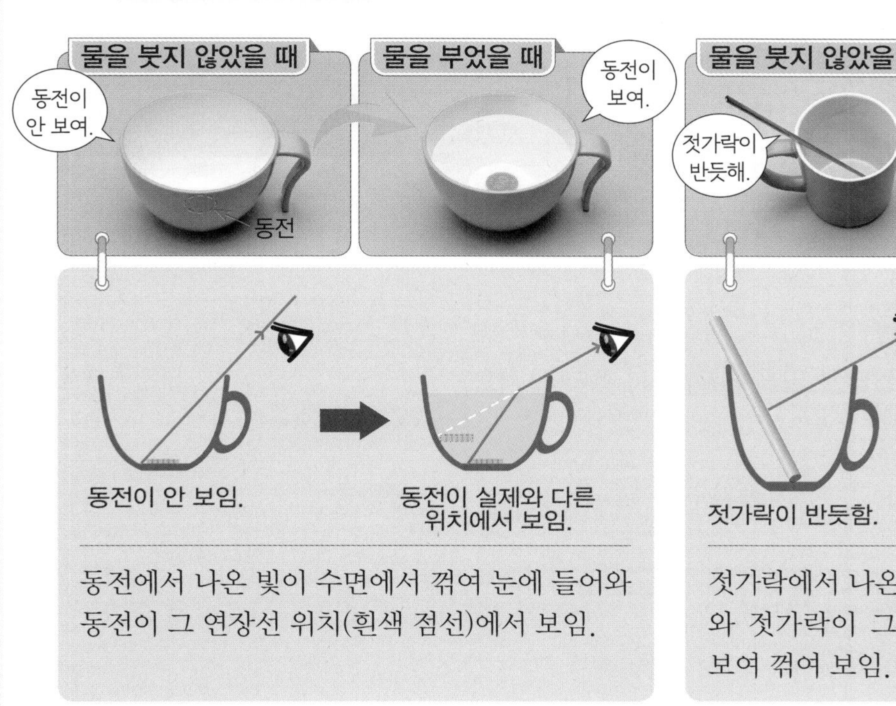

동전에서 나온 빛이 수면에서 꺾여 눈에 들어와 동전이 그 연장선 위치(흰색 점선)에서 보임.

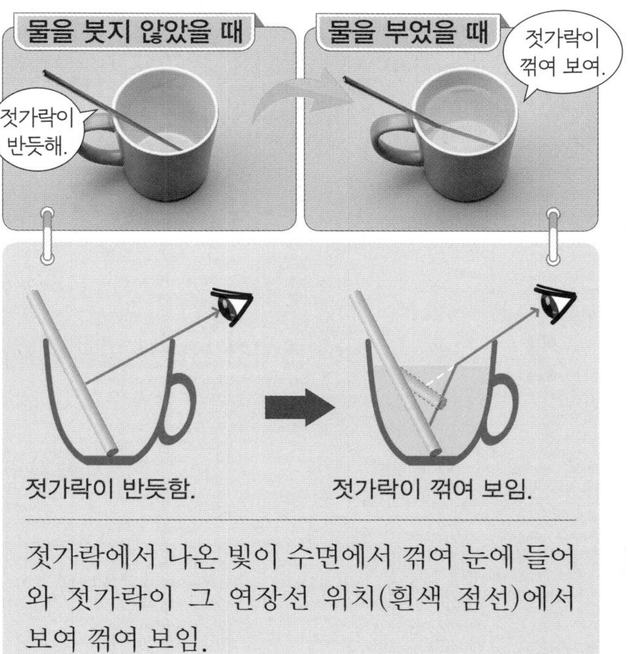

젓가락에서 나온 빛이 수면에서 꺾여 눈에 들어와 젓가락이 그 연장선 위치(흰색 점선)에서 보여 꺾여 보임.

서로 다른 물질의 경계에서 **빛이 꺾여 나아가는 현상**

빛이 공기와 물의 경계에서 ❸(직진 / 굴절)하기 때문에 물속에 있는 물체의 모습이 실제와 다른 위치에 있는 것처럼 보이기도 합니다.

정답 ❶ 있습니다 ❷ 꺾여 ❸ 굴절

개념 체크

정답과 풀이 13쪽

1 햇빛은 (한 / 여러) 가지 빛깔로 이루어져 있습니다.

2 빛을 비스듬하게 비출 때 빛이 공기와 물의 ☐☐에서 꺾여 나아갑니다.

3 물속에 있는 물체의 모습이 실제 모습과 다르게 보이는 것은 빛의 ☐☐ 때문입니다.

보기
- 중간
- 경계
- 굴절
- 반사

개념 확인하기

정답과 풀이 13쪽

1 오른쪽은 프리즘을 통과한 햇빛의 모습입니다. 이를 통해 알게 된 점으로 옳은 것에 ○표를 하시오.

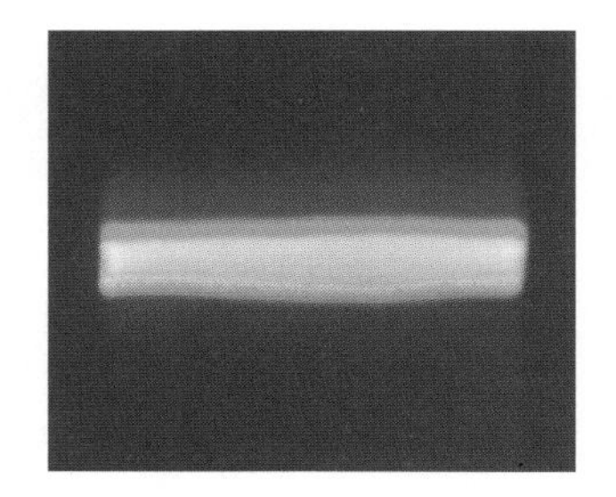

(1) 햇빛은 한 가지 빛깔로 이루어져 있습니다. (　　　　)

(2) 햇빛은 여러 가지 빛깔로 이루어져 있습니다. (　　　　)

(3) 햇빛은 불투명한 빛깔로 이루어져 있습니다. (　　　　)

2 다음 □ 안에 들어갈 알맞은 말을 보기에서 골라 쓰시오.

보기

• 햇빛　　　　• 공기　　　　• 물방울

비가 내린 뒤 볼 수 있는 무지개는 □이/가 여러 가지 빛깔로 이루어져 있기 때문에 나타나는 현상입니다.

(　　　　　　　　)

3 다음 중 수조에 빛을 비출 때 빛이 나아가는 모습으로 옳은 것을 두 가지 고르시오.

(　　　,　　　)

①

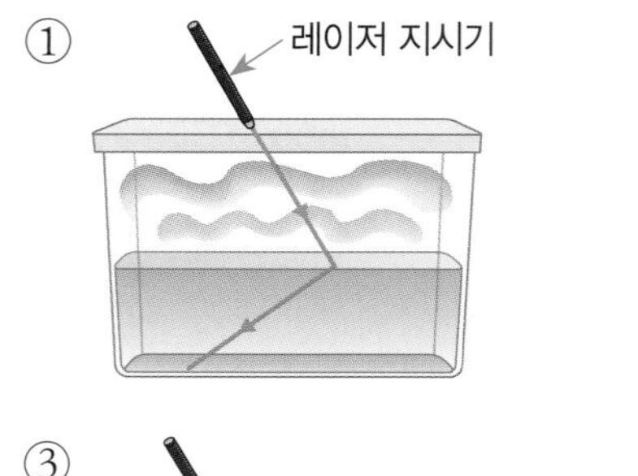

②

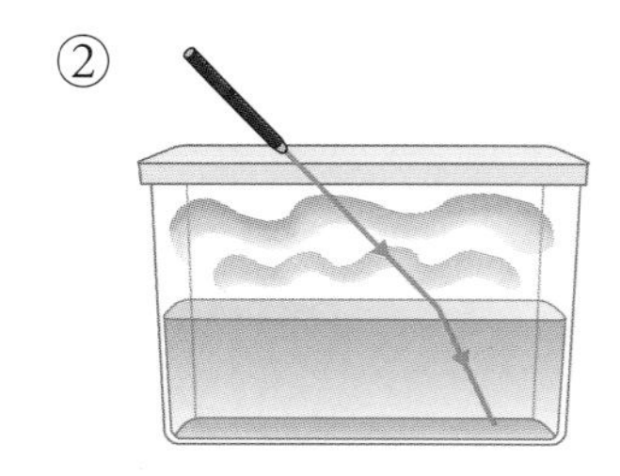

③

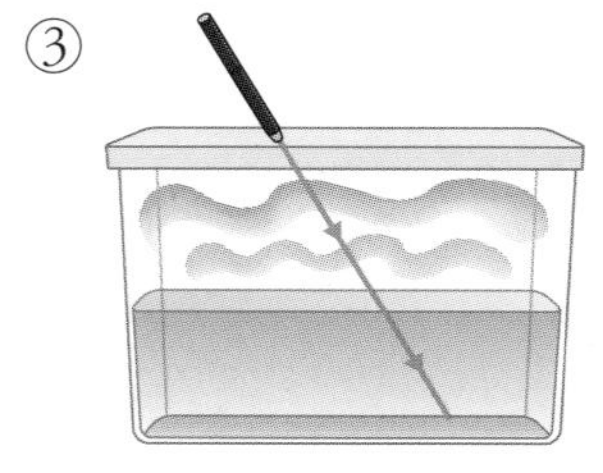

④

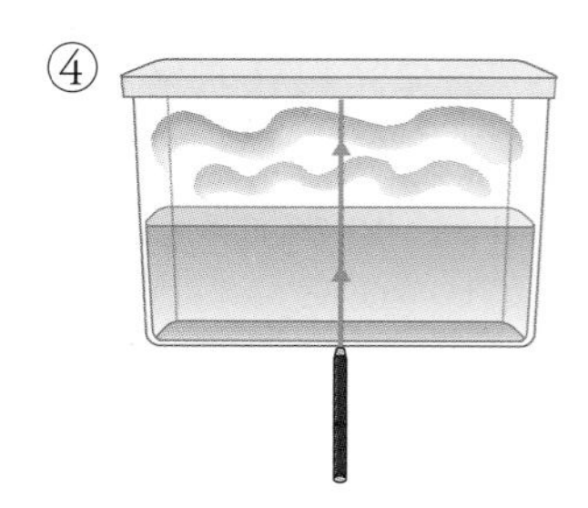

4 다음 중 빛의 굴절에 대한 설명으로 옳은 것을 보기에서 골라 기호를 쓰시오.

보기
㉠ 우리 생활에서는 볼 수 없는 현상입니다.
㉡ 빛이 서로 다른 물질의 경계에서 꺾여 나아가는 현상입니다.
㉢ 빛이 공기와 물의 경계에서 꺾이지 않고 그대로 나아가는 현상입니다.

( )

5 다음 현상과 관계있는 빛의 성질로 옳은 것은 어느 것입니까? ( )

컵에 동전을 넣고, 물을 붓지 않았을 때는 동전이 보이지 않았는데 물을 부은 다음에는 동전이 보였습니다.

① 빛은 곧게 나아간다.
② 빛은 휘어져 나아간다.
③ 빛은 공기와 물의 경계에서 꺾여 나아간다.
④ 빛이 물을 통과할 때 여러 가지 빛깔로 나타난다.
⑤ 빛이 물을 통과하지 못해 물속에 있는 물체의 모습이 보이지 않는다.

똑똑한 하루 퀴즈

6 다음 □ 안에 들어갈 알맞은 낱말을 말 상자에서 찾아 모두 ○표를 하세요. 말 상자의 낱말은 가로, 세로, 대각선에 숨어 있어요.

굴	절	☆	유
골	프	리	즘
무	☆	라	☆
☆	지	경	스
진	☆	개	계

1 유리 등으로 만든 삼각기둥 모양의 기구로 햇빛을 통과시키면 빛이 나누어짐. □□□
2 비가 내린 뒤에 하늘에서 볼 수 있는 것으로 여러 빛깔로 나타남. □□□
3 서로 다른 물질의 경계에서 빛이 꺾여 나아가는 현상. 빛의 □□
4 빛은 물과 공기의 □□에서 꺾여 나아감.

2일 볼록 렌즈

볼록 렌즈로 관찰해 볼까?

용어 체크

볼록 렌즈

가운데 부분이 가장자리보다 두꺼워 가운데가 볼록한 렌즈. 볼록 렌즈를 통과한 빛은 한곳에 모임.

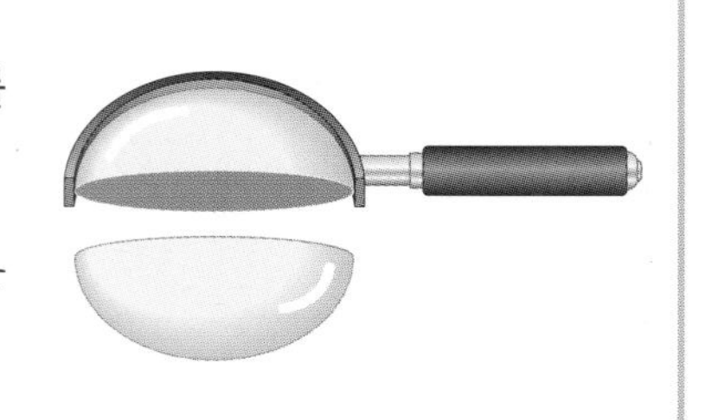

예 할아버지께서 신문을 보실 때 쓰시는 돋보기안경의 안경알은 가운데 부분이 두꺼운 ❶ ______ 이다.

정답 ❶ 볼록 렌즈

볼록 렌즈는 빛을 모아

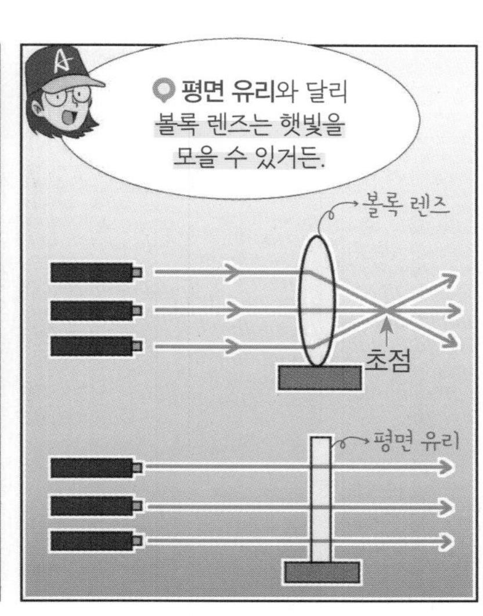

용어 체크

초점

볼록 렌즈의 중심 축에 평행하게 나아가는 빛이 렌즈를 통과하면서 꺾여 나아가 모이는 한 점

예 볼록 렌즈를 통과한 햇빛이 한 점으로 모이는 지점을 ❶ [ ] 으로 볼 수 있다.

평면 유리

평평한 면을 지닌 유리. 가운데 부분이나 가장자리의 두께가 같음.

예 학교 교실의 유리창은 대부분 ❷ [ ] 유리로 되어 있다.

정답 ❶ 초점 ❷ 평면

2일 개념 익히기

1 볼록 렌즈의 특징을 알아볼까?

여러 가지 모양의 볼록 렌즈

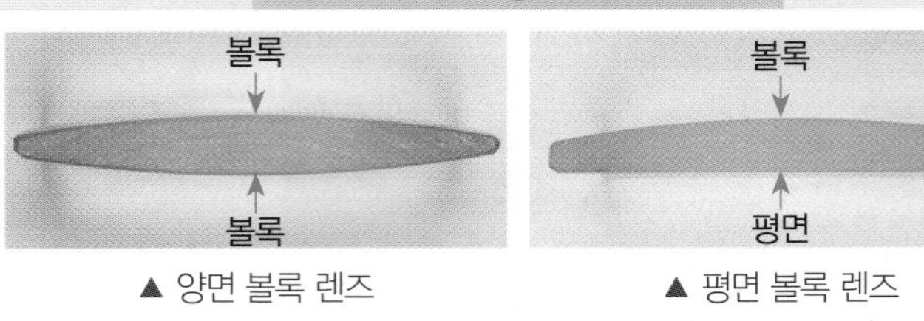

▲ 양면 볼록 렌즈　▲ 평면 볼록 렌즈

- **가운데 부분**이 가장자리보다 **두꺼움.**
- 유리와 같이 투명한 물질로 만들어져 있음.

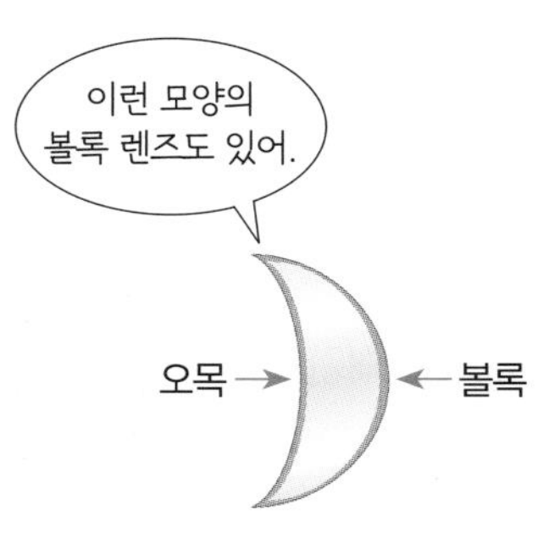

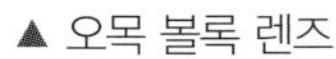
▲ 오목 볼록 렌즈

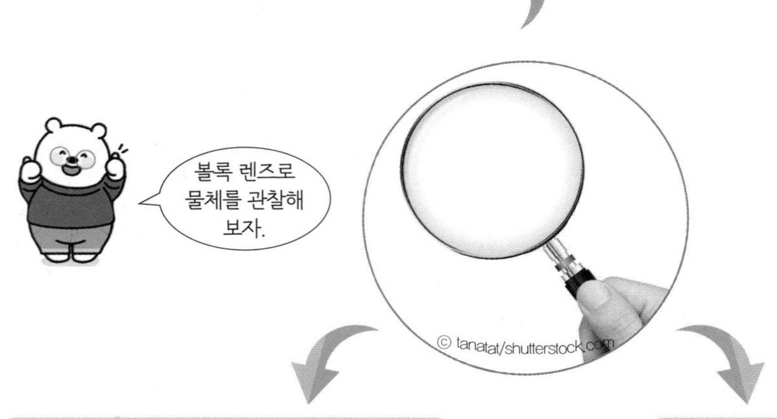

볼록 렌즈로 가까이 있는 물체 관찰

볼록 렌즈로 멀리 있는 물체 관찰

볼록 렌즈의 구실을 하는 것

▲ 물방울　▲ 유리 막대

▲ 물이 담긴 둥근 어항

볼록 렌즈의 모양은 가운데 부분이 가장자리보다 ❶(얇고 / 두껍고), 볼록 렌즈로 물체를 관찰하면 실제 물체와 ❷(같게 / 다르게) 보입니다.

2 볼록 렌즈를 통과한 빛은 어떻게 나아갈까?

볼록 렌즈를 통과한 빛이 나아가는 모습

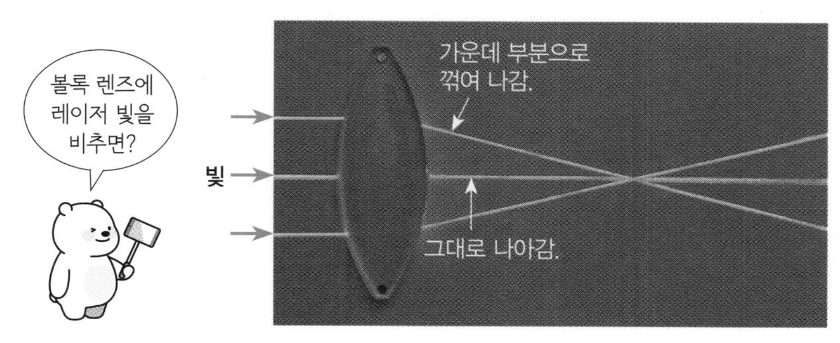

- 볼록 렌즈의 **가장자리를 통과한 빛**은 두꺼운 가운데 부분으로 **꺾여 나아감.**
- 볼록 렌즈의 **가운데 부분**을 통과한 빛은 꺾이지 않고 **그대로 나아감.**

볼록 렌즈를 통과한 햇빛의 모습

▲ 볼록 렌즈와 도화지 사이의 거리가 가깝거나 멀 때

▲ 볼록 렌즈와 도화지 사이의 거리가 중간일 때

볼록 렌즈의 ❸(가운데 / 가장자리)를 통과한 빛은 가운데 부분으로 굴절되어 빛을 한 곳으로 모을 수 ❹(있습니다 / 없습니다).

정답 ❶ 두껍고 ❷ 다르게 ❸ 가장자리 ❹ 있습니다

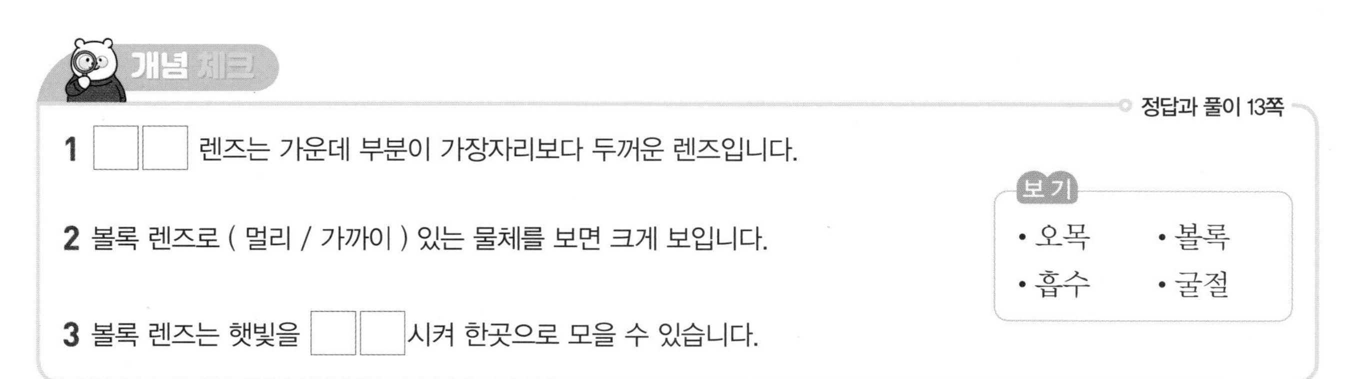

개념 체크

정답과 풀이 13쪽

1 ☐☐ 렌즈는 가운데 부분이 가장자리보다 두꺼운 렌즈입니다.

2 볼록 렌즈로 (멀리 / 가까이) 있는 물체를 보면 크게 보입니다.

3 볼록 렌즈는 햇빛을 ☐☐시켜 한곳으로 모을 수 있습니다.

보기
- 오목
- 볼록
- 흡수
- 굴절

2일 개념 확인하기

○ 정답과 풀이 13쪽

[1~2] 다음은 여러 가지 모양의 렌즈입니다. 물음에 답하시오.

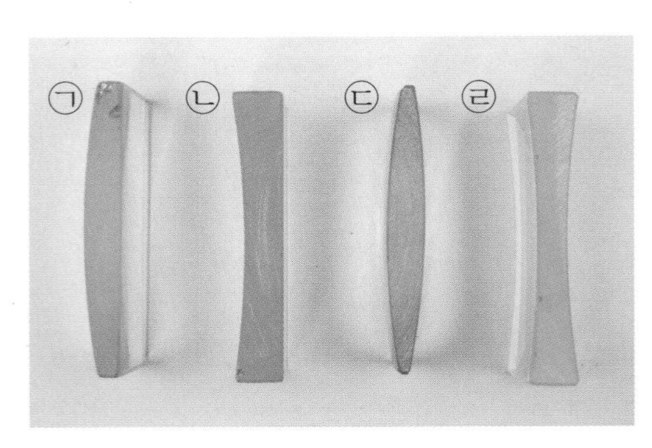

1 위 렌즈 중에서 가운데 부분이 가장자리보다 두꺼운 것을 두 가지 골라 기호를 쓰시오.

(,)

2 위 **1**번의 답과 같은 특징이 있는 렌즈를 무엇이라고 하는지 보기에서 골라 쓰시오.

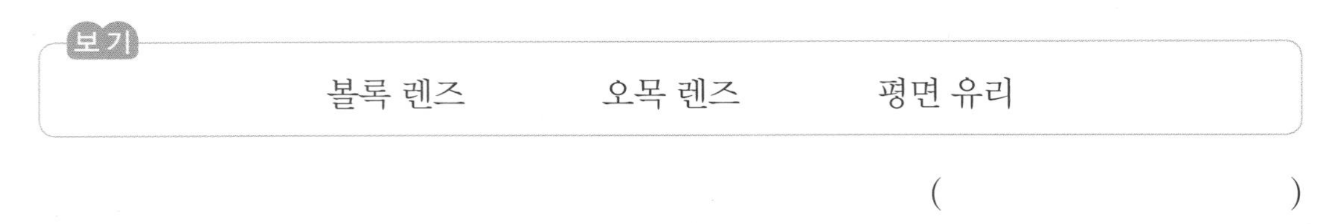

( )

3 다음 볼록 렌즈로 관찰한 물체의 모습과 물체의 위치를 줄로 바르게 이으시오.

(1)

• • ㉠ 멀리 있는 물체

(2)

• • ㉡ 가까이 있는 물체

4 다음과 같이 볼록 렌즈에 레이저 지시기의 빛을 비출 때 곧게 나아가는 빛이 볼록 렌즈의 가장자리를 통과하는 모습으로 옳은 것은 어느 것입니까? (　　　)

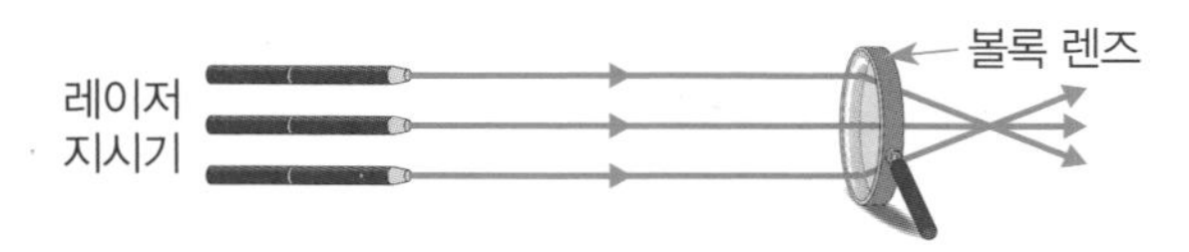

① 빛이 그대로 나아간다.
② 빛이 통과하지 못한다.
③ 빛이 밖으로 꺾여 나아간다.
④ 빛이 가운데 부분으로 꺾여 나아간다.
⑤ 빛이 반대 방향으로 되돌아 나아간다.

5 다음 중 볼록 렌즈를 통과한 햇빛이 만든 원에 대한 설명으로 옳은 것은 ○표를, 옳지 않은 것은 ×표를 하시오.

(1) 햇빛이 만든 원 안은 밝습니다. (　　　)
(2) 햇빛이 만든 원 안의 온도는 낮습니다. (　　　)
(3) 볼록 렌즈가 햇빛을 굴절시켜 모은 곳입니다. (　　　)

▲ 볼록 렌즈를 통과한 햇빛의 모습

4 주

집중 연습 문제 볼록 렌즈로 본 물체의 모습

6 볼록 렌즈로 다음의 물체를 관찰할 때 어떻게 보이는지 (　　) 안의 알맞은 말에 ○표 하시오.

(1) 가까이 있는 물체 : (크게 / 작게) 보입니다.
(2) 멀리 있는 물체 : 상하좌우가 (똑바로 / 바뀌어) 보입니다.

7 다음은 볼록 렌즈로 본 물체의 모습입니다. 관찰한 물체의 위치로 옳은 것을 보기에서 골라 기호를 쓰시오.

보기
㉠ 멀리 있는 물체　　㉡ 가까이 있는 물체

(1) 실제 물체보다 크게 보임. (　　　)
(2) 실제 물체와 달리 상하좌우가 바뀌어 보임. (　　　)

3일 간이 사진기

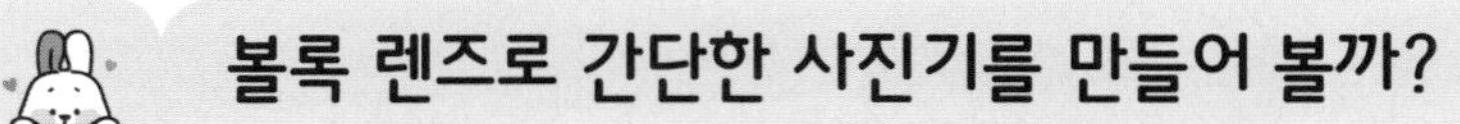

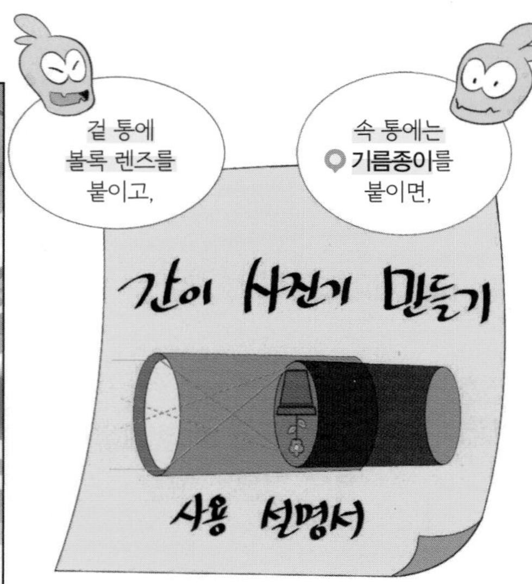

용어 체크

간이 사진기

물체에서 반사된 빛을 볼록 렌즈로 모아 물체의 모습이 기름종이에 나타나게 하는 간단한 사진기

예 ❶ ________ 와 기름종이를 이용하여 간이 사진기를 만들 수 있다.

기름종이

기름을 먹인 반투명한 얇은 종이

예 간이 사진기의 속 상자에 붙인 ❷ ________ 에서 물체의 모습을 볼 수 있다.

정답 ❶ 볼록 렌즈 ❷ 기름종이

물체가 거꾸로 보여!

용어 체크

상

빛이 거울이나 렌즈에 의하여 반사하거나 굴절한 뒤에 다시 모여서 맺힌 물체의 모습

예 간이 사진기로 물체를 보면 기름종이에 상하좌우가 바뀐 ❶ [   ] 이 나타난다.

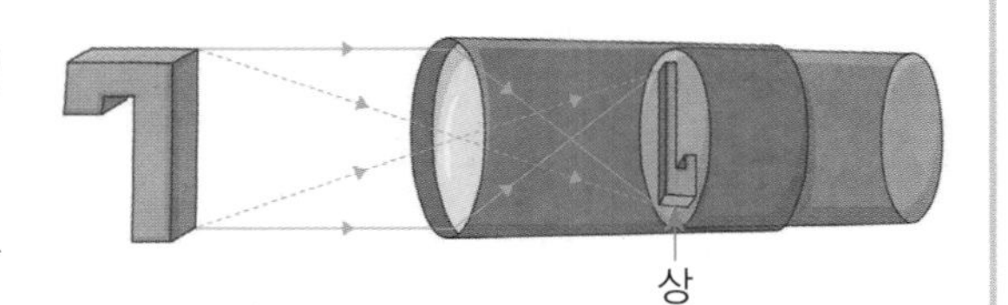

▲ 간이 사진기에 맺힌 물체의 상

정답 ❶ 상

3일 개념 익히기

실험 동영상

1 볼록 렌즈를 이용해 간이 사진기는 어떻게 만들까?

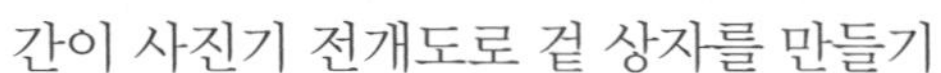

간이 사진기 전개도로 겉 상자를 만들기

겉 상자의 동그란 구멍이 뚫린 부분에 셀로판테이프로 **볼록 렌즈**를 붙이기

간이 사진기 전개도로 속 상자를 만들고 한쪽 끝에 **기름종이**를 붙이기

속 상자를 겉 상자에 넣기

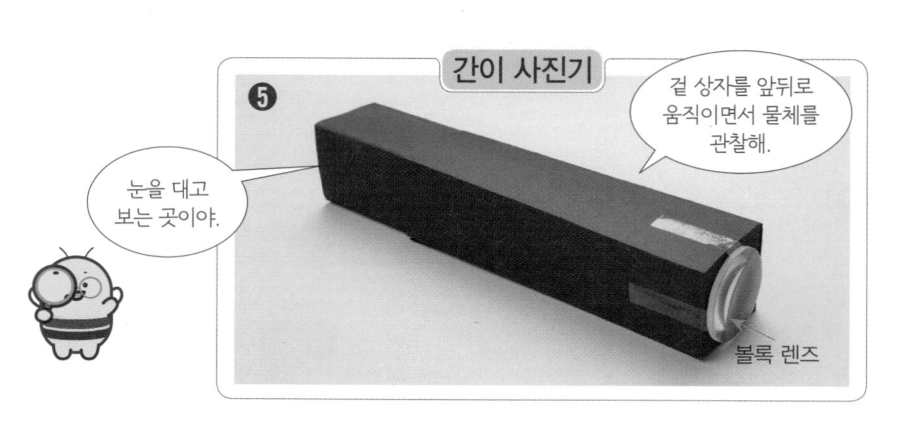

간이 사진기의 ❶(겉 / 속) 상자에 볼록 렌즈를, ❷(겉 / 속) 상자에 기름종이를 붙입니다.

2 간이 사진기로 물체를 보면 어떻게 보일까?

간이 사진기의 구조와 원리

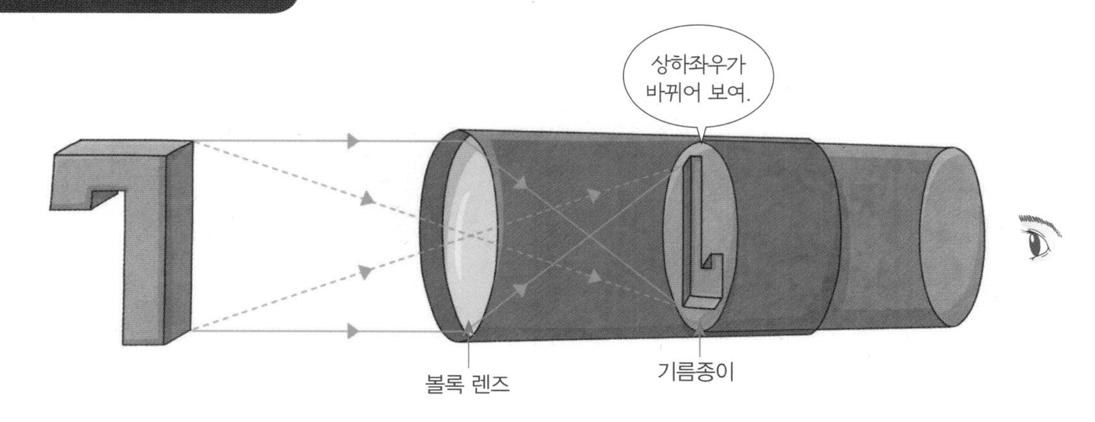

간이 사진기로 본 물체의 모습

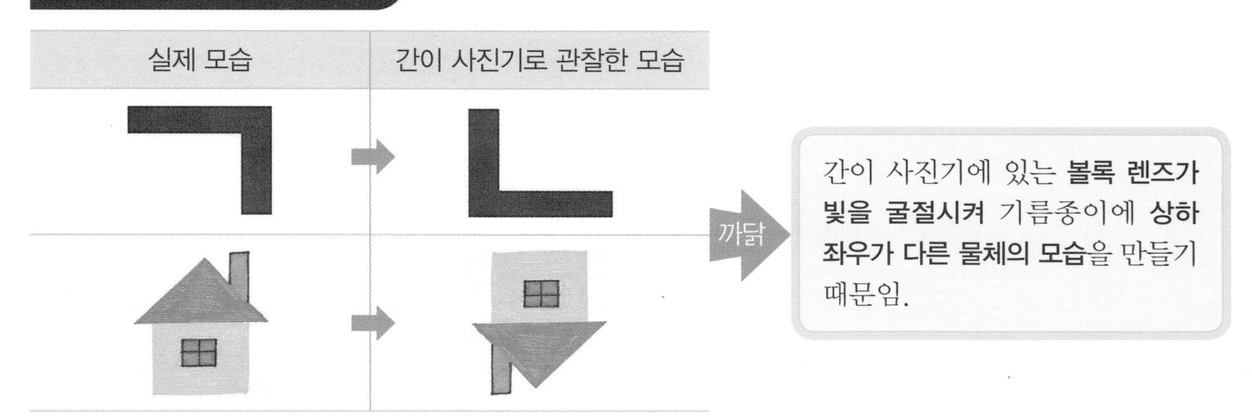

간이 사진기에 있는 **볼록 렌즈가 빛을 굴절시켜** 기름종이에 **상하좌우가 다른 물체의 모습**을 만들기 때문임.

간이 사진기로 본 물체의 모습은 **볼록 렌즈가 빛을 ❸(통과 / 굴절)시켜** 실제 모습과 다르게 **물체의 상하좌우가 ❹(바뀌어 / 똑같이) 보입니다.**

정답 ❶ 겉 ❷ 속 ❸ 굴절 ❹ 바뀌어

개념 체크

정답과 풀이 14쪽

1 간이 사진기는 □□ 렌즈를 이용해 만들 수 있습니다.

2 간이 사진기로 물체를 보면 속 상자에 붙인 □□□□에서 물체의 모습을 볼 수 있습니다.

3 간이 사진기로 'ㄱ'을 보면 (ㄱ / ㄴ) 모양으로 보입니다.

보기
- 볼록
- 오목
- 거름종이
- 기름종이

개념 확인하기

○ 정답과 풀이 14쪽 빠른 정답 보기

[1~2] 다음은 간이 사진기의 모습입니다. 물음에 답하시오.

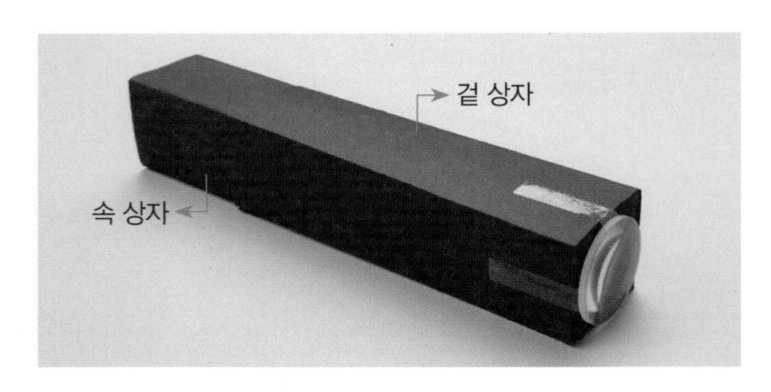

1 다음은 위 간이 사진기를 만드는 방법입니다. □ 안에 들어갈 알맞을 말을 각각 쓰시오.

> ㉠ 겉 상자의 동그란 구멍이 뚫린 부분에 ❶ [ ] 을/를 붙입니다.
> ㉡ 속 상자의 한쪽 끝에 ❷ [ ] 을/를 붙입니다.
> ㉢ 겉 상자에 속 상자를 넣어 간이 사진기를 완성합니다.

❶ (   ) ❷ (   )

2 위 간이 사진기로 물체를 관찰하는 방법으로 가장 알맞은 것은 어느 것입니까? (   )

① 물체를 앞뒤로 움직이면서 물체를 관찰한다.
② 겉 상자를 앞뒤로 움직이면서 물체를 관찰한다.
③ 속 상자를 위아래로 움직이면서 물체를 관찰한다.
④ 눈의 위치를 앞뒤로 움직이면서 물체를 관찰한다.
⑤ 겉 상자와 속 상자를 각각 분리하여 물체를 관찰한다.

3 다음 간이 사진기에서 관찰한 물체의 모습이 맺히는 곳은 어디인지 기호를 쓰시오.

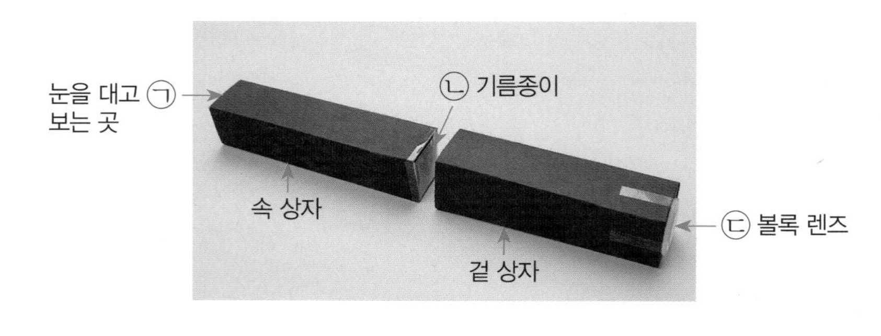

(   )

간이 사진기

4 칠판에 'ㄱ'자를 쓴 종이를 붙이고, 간이 사진기로 관찰하였습니다. 간이 사진기로 관찰한 모습으로 옳은 것의 기호를 쓰시오.

(　　　　　　　　)

5 다음 중 간이 사진기로 물체를 관찰한 모습에 대한 설명으로 옳은 것에는 ○표, 옳지 않은 것에는 ×표를 하시오.

(1) 간이 사진기로 본 물체의 모습은 실제 물체와 똑같이 보입니다. (　　　　)

(2) 간이 사진기로 본 물체의 모습은 상하좌우가 바뀌어 보입니다. (　　　　)

6 다음 중 간이 사진기로 본 물체의 모습이 위 **5**번 답과 같이 보이는 까닭으로 옳은 것은 어느 것입니까? (　　　　)

① 검은 상자가 빛을 막기 때문이다.

② 볼록 렌즈가 빛을 굴절시키기 때문이다.

③ 빛은 종이를 통과할 때 꺾여 나아가기 때문이다.

④ 햇빛은 여러 가지 빛깔로 이루어져 있기 때문이다.

⑤ 빛은 볼록 렌즈를 통과할 때 곧게 나아가기 때문이다.

4주

똑똑한 하루 퀴즈

7 다음 □ 안에 들어갈 알맞은 낱말을 말 상자에서 찾아 모두 ○표를 하세요. 말 상자의 낱말은 가로, 세로, 대각선에 숨어 있어요.

굴	절	★	속
반	사	겉	상
★	겉	상	자
간	★	자	★
★	이	★	★

1. 물체에서 반사된 빛을 볼록 렌즈로 모아 물체의 모습이 기름종이에 나타나게 하는 간단한 구조의 사진기. □□ 사진기
2. 간이 사진기에서 볼록 렌즈를 붙이는 곳. □□□
3. 간이 사진기에 있는 볼록 렌즈가 빛을 □□시킴.

4일 볼록 렌즈를 이용한 기구

돋보기, 현미경도 챙겨 가

용어 체크

돋보기

볼록 렌즈를 이용하여 작은 물체를 크게 확대하여 관찰하도록 만든 기구

예 ❶ [　　　] 를 사용하여 식물의 작은 씨앗을 확대하여 관찰하였다.

현미경

볼록 렌즈 두 개를 이용해 매우 작은 물체를 크게 확대해 볼 수 있는 기구

예 ❷ [　　　] 으로 양파의 겉 껍질 세포를 관찰하였다.

정답 ❶ 돋보기 ❷ 현미경

 볼록 렌즈를 이용한 기구로 감시해

용어 체크

망원경

볼록 렌즈를 이용하여 먼 곳에 있는 물체를 확대해 뚜렷하게 볼 수 있는 기구

예 전망대에 있는 ❶ [ ] 으로 멀리 있는 철새를 관찰할 수 있다.

휴대 전화 사진기

휴대 전화 기능 중 하나로 볼록 렌즈를 이용하여 빛을 모아 사진이나 영상을 촬영할 수 있음.

예 ❷ [ ] 를 이용한 휴대 전화 사진기로 언제 어디서나 사진을 찍을 수 있다.

정답 ❶ 망원경 ❷ 볼록 렌즈

4일 개념 익히기

1 볼록 렌즈가 사용되는 경우를 알아볼까?

볼록 렌즈는 ❶(큰 / 작은) 물체나 멀리 있는 물체를 관찰할 때, 섬세한 작업을 할 때, 가까운 것이 잘 보이지 않는 사람의 시력을 교정하는 데 등에 사용됩니다.

2 볼록 렌즈를 이용해 만든 기구를 알아볼까?

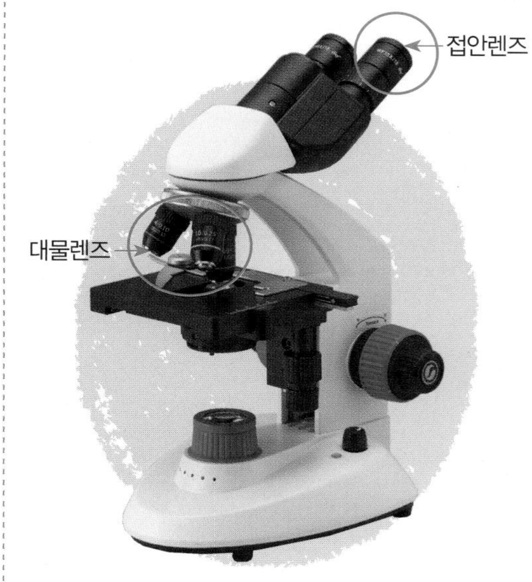

현미경

볼록 렌즈인 대물렌즈와 접안 렌즈를 이용하여 만든 기구로 작은 물체를 확대할 때 쓰임.

망원경

멀리 있는 물체를 확대할 때 쓰임.

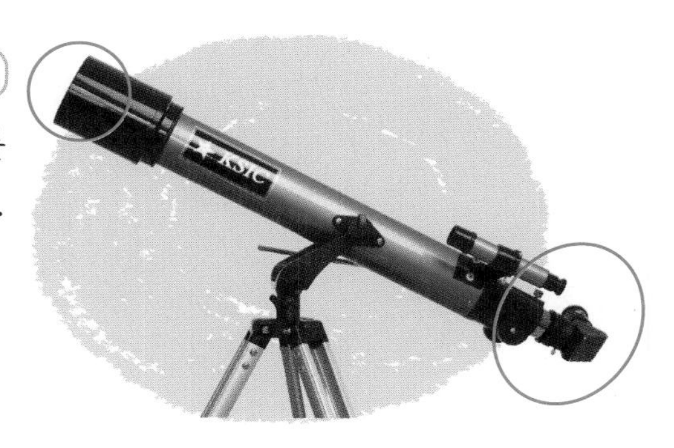

휴대 전화 사진기

빛을 모아 사진이나 영상을 촬영할 때 쓰임.

사진기

빛을 모아 사진을 촬영할 때 쓰임.

볼록 렌즈를 이용한 기구로 ❷(현미경 / 프리즘), 망원경, 사진기, 휴대 전화 사진기, 의료용 장비 등이 있습니다.

정답 ❶ 작은 ❷ 현미경

개념 체크

정답과 풀이 14쪽

1 ☐☐ 렌즈로 만든 돋보기는 물체를 확대해 보는 데 사용합니다.

2 볼록 렌즈를 이용한 ☐☐☐은/는 빛을 모아 사진을 촬영합니다.

3 볼록 렌즈를 이용한 ☐☐☐은/는 매우 작은 물체를 확대할 때 쓰입니다.

보기
- 볼록
- 평면
- 망원경
- 현미경
- 사진기
- 프리즘

4일 개념 확인하기

정답과 풀이 14쪽

1 다음 상황에서 공통으로 사용되는 것으로 옳은 것은 어느 것입니까? (　　　　)

▲ 소품을 제작할 때　▲ 시계의 날짜를 확인할 때　▲ 화석을 관찰할 때

① 유리　② 거울　③ 안경
④ 프리즘　⑤ 볼록 렌즈

2 다음은 위의 **1**번 상황에서 사용한 기구들의 쓰임새입니다. □ 안에 알맞은 말을 쓰시오.

물체의 모습을 □해서 볼 수 있기 때문에 작은 물체를 자세히 관찰할 수 있습니다.

3 다음 상황에서 사용되는 기구의 이름을 바르게 줄로 이으시오.

(1)  •　　• ㉠ 돋보기

(2)  •　　• ㉡ 확대경

(3)  •　　• ㉢ 돋보기안경

볼록 렌즈를 이용한 기구

4 다음의 기구에서 볼록 렌즈가 쓰인 부분을 각각 ○표로 표시하시오.

㉠

㉡

㉢
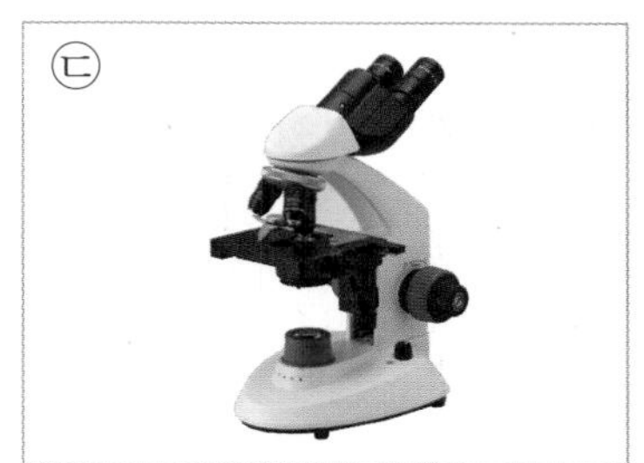

5 위 **4**번의 ㉠~㉢ 중 다음 설명에 해당하는 기구의 기호를 쓰고, 기구의 이름을 쓰시오.

(1) 빛을 모아 사진을 촬영할 때 쓰입니다. (　　　　　,　　　　　)

(2) 멀리 있는 물체를 확대할 때 쓰입니다. (　　　　　,　　　　　)

(3) 매우 작은 물체를 확대할 때 쓰입니다. (　　　　　,　　　　　)

4주

똑똑한 하루 퀴즈

6 다음 □ 안에 들어갈 알맞은 낱말을 말 상자에서 찾아 모두 ○표를 하세요. 말 상자의 낱말은 가로, 세로, 대각선에 숨어 있어요.

올	록	★	돋
볼	★	망	보
★	안	원	기
현	미	경	★
★	★	렌	즈

1. 빛을 굴절시키고 모을 수 있는 □□ 렌즈
2. 볼록 렌즈를 이용해 만든 것으로 멀리 있는 물체를 확대할 때 쓰임. □□□
3. 휴대 전화 사진기에 있는 볼록 □□
4. 가까운 것이 잘 보이지 않는 사람이 쓰는 안경. 할머니의 □□□안경

1 빛의 굴절

프리즘을 통과한 햇빛의 모습이야.

① 햇빛은 여러 가지 빛깔로 이루어져 있습니다.

② **빛의 굴절** : 서로 다른 물질의 경계에서 빛이 꺾여 나아가는 현상

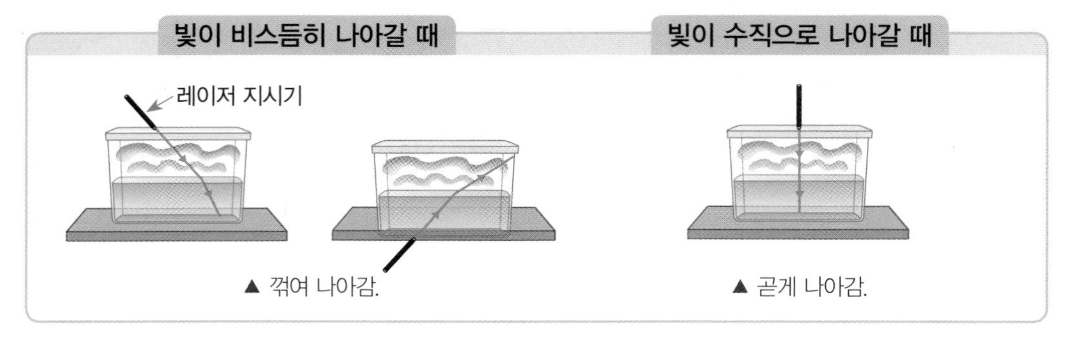

③ **물속에 있는 물체의 모습 관찰하기**

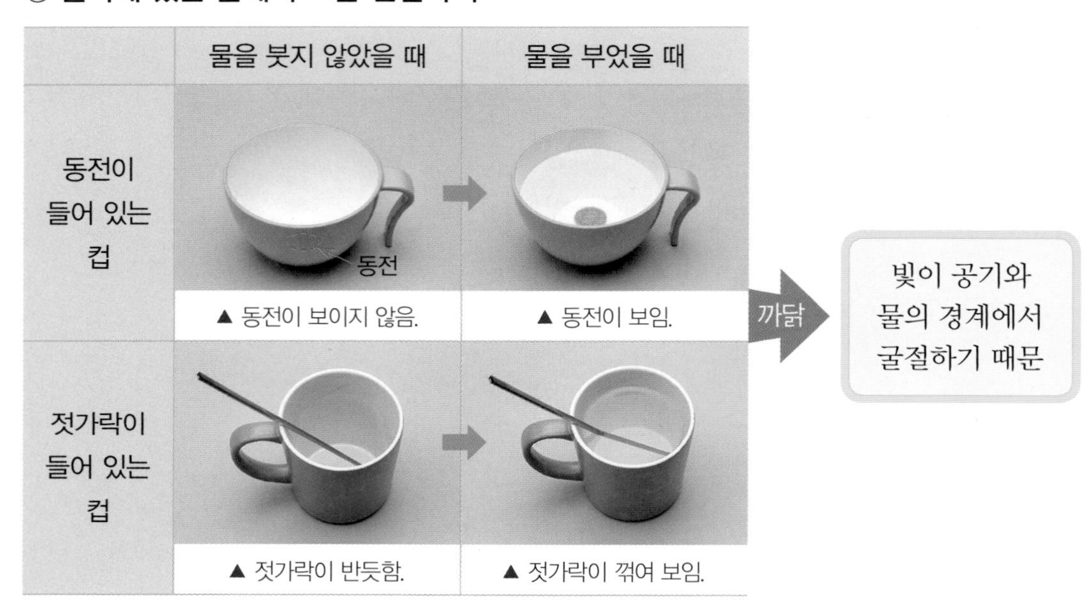

2 볼록 렌즈

볼록 렌즈는 가운데 부분이 가장자리보다 두꺼워.

① **볼록 렌즈로 물체 관찰하기**

가까이 있는 물체	멀리 있는 물체
실제 물체보다 크게 보일 수 있음.	실제 물체와 달리 상하좌우가 바뀌어 보임.

② **볼록 렌즈에 빛을 비추었을 때 빛이 나아가는 모습**

빛이 볼록 렌즈의 가장자리를 통과할 때

빛은 두꺼운 가운데 부분으로 꺾여 나아감.

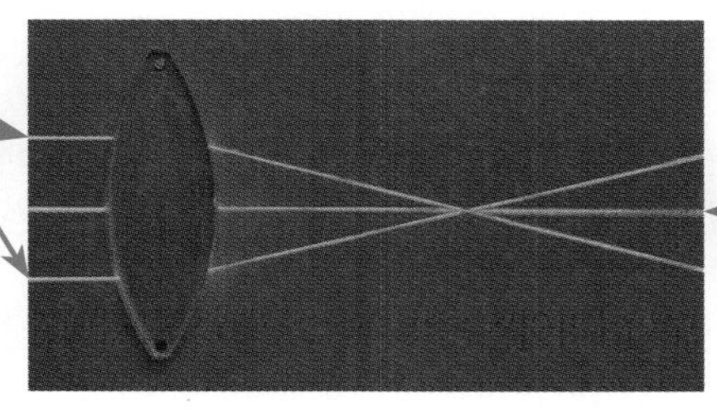

빛이 볼록 렌즈의 가운데 부분을 통과할 때

빛은 꺾이지 않고 그대로 나아감.

볼록 렌즈로 햇빛을 모아 종이를 태울 수 있어.

③ 볼록 렌즈로 햇빛을 모은 곳은 밝기가 밝고, 온도가 높습니다.

3 간이 사진기와 볼록 렌즈를 이용한 기구

① **간이 사진기**

② **간이 사진기로 본 물체의 모습** : 상하좌우가 바뀌어 보입니다.

▲ 실제 모습

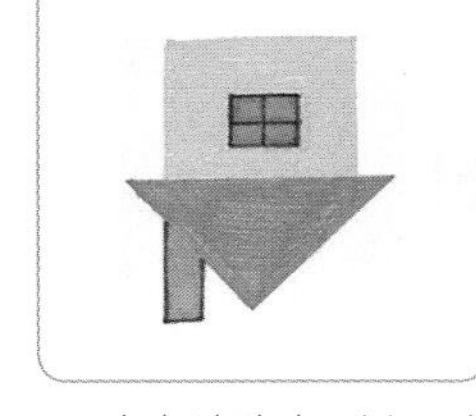

▲ 간이 사진기로 본 모습

까닭 → 간이 사진기에 있는 볼록 렌즈가 빛을 굴절시키기 때문

③ **볼록 렌즈를 이용해 만든 기구** : 현미경, 망원경, 사진기, 의료용 장비 등

우리 뱃속을 들여다보는 내시경

'내시경'은 신체의 내부를 관찰하는 의료용 기구예요. 긴 관 끝에 카메라나 확대경을 달아 놓은 내시경을 사람의 장기 속으로 넣으면, 화면을 통해 신체 내부를 관찰할 수 있어요. 내시경 검사를 통해 암 등의 병을 진단할 수 있답니다.

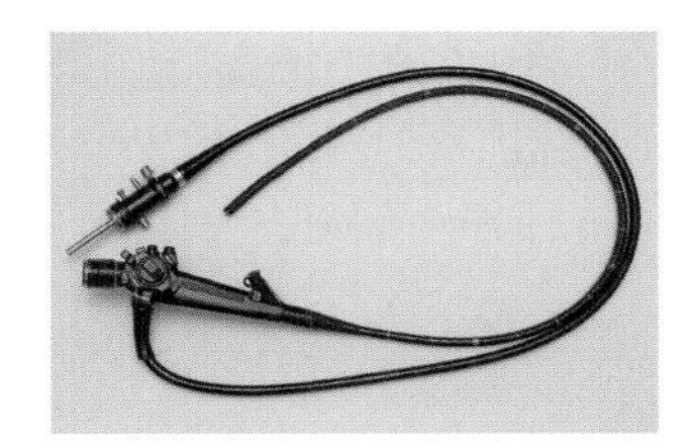

▲ 내시경

1일 빛의 굴절

1 다음 중 오른쪽 기구를 통과한 햇빛에 대한 설명으로 옳은 것은 어느 것입니까? (　　　　)

▲ 프리즘

① 하얀색 빛이 나타난다.
② 세 가지 빛깔이 나타난다.
③ 여러 가지 빛깔이 나타난다.
④ 아무 빛깔도 나타나지 않는다.
⑤ 실험을 할 때마다 다른 빛깔이 나타난다.

서술형

2 다음과 같이 레이저 지시기의 빛을 수조 아래쪽에서 위쪽으로 비출 때 빛이 나아가는 모습을 그리고, 이와 관련된 빛의 성질을 쓰시오.

(1) 빛이 나아가는 모습

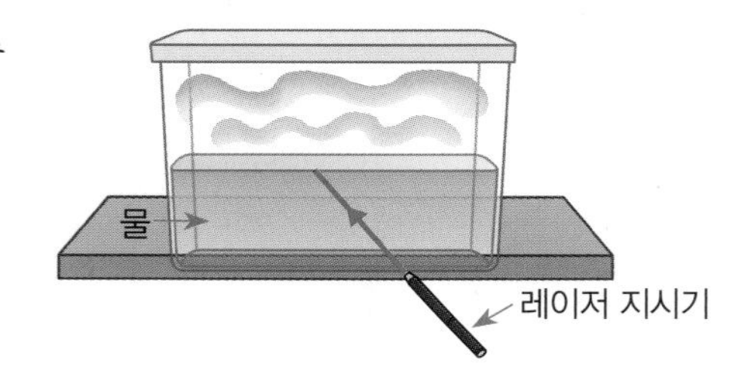

(2) 빛의 성질

3 다음은 오른쪽과 같이 젓가락이 들어 있는 컵에 물을 부었을 때 젓가락이 꺾여 보이는 까닭입니다. □ 안에 들어갈 알맞은 말을 쓰시오.

빛이 공기와 물의 경계에서 □ 하기 때문입니다.

(　　　　　　　　)

정답과 풀이 15쪽

2일 볼록 렌즈

4 다음 중 볼록 렌즈에 대한 설명으로 옳지 않은 것은 어느 것입니까? (   )

① 볼록 렌즈는 빛을 굴절시킨다.
② 볼록 렌즈는 가운데 부분이 가장자리보다 두껍다.
③ 볼록 렌즈의 가장자리를 통과한 빛은 곧게 나아간다.
④ 볼록 렌즈로 물체를 보면 실제 물체와 다르게 보인다.
⑤ 볼록 렌즈로 햇빛을 모은 곳은 밝기가 밝고, 온도가 높다.

5 다음 중 볼록 렌즈로 가까이 있는 오른쪽 물체를 관찰할 때 볼 수 있는 모습으로 옳은 것은 어느 것입니까? (   )

①
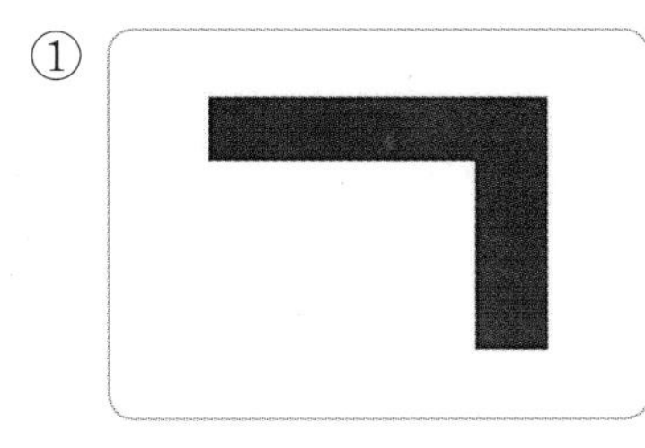

②
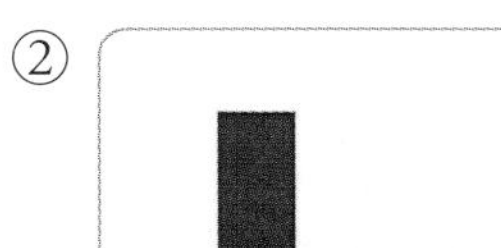

③
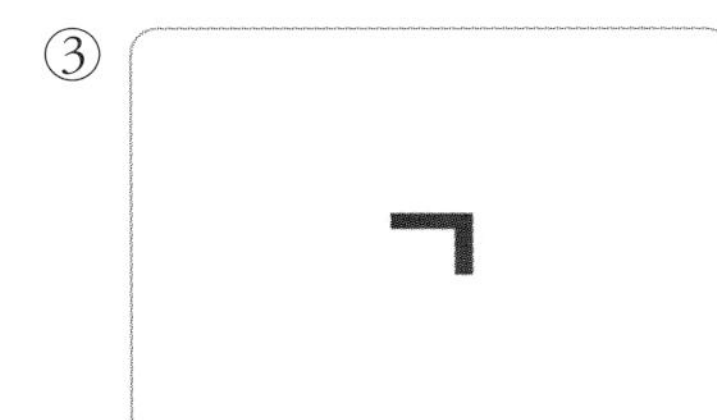

④
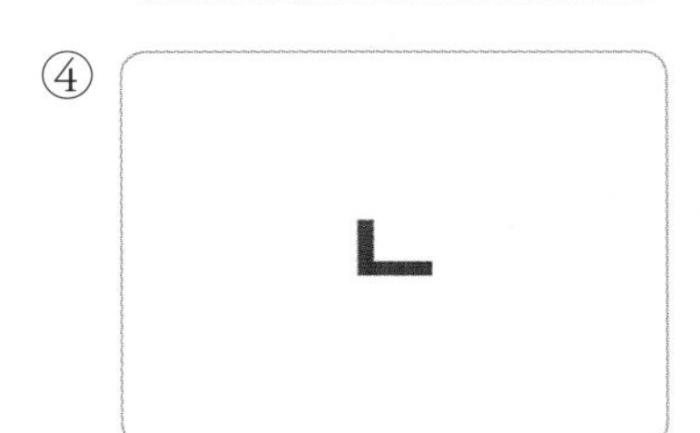

6 다음과 같이 볼록 렌즈에 빛을 비추었을 때, 볼록 렌즈를 통과한 빛이 나아가는 모습을 줄로 바르게 이으시오.

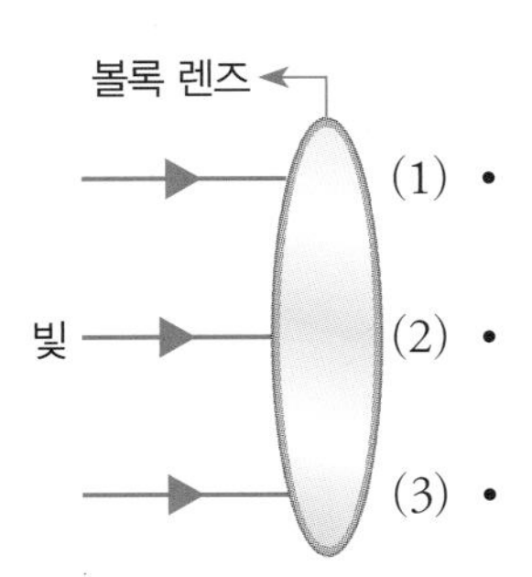

• ㉠ 꺾이지 않고 그대로 나아감.
• ㉡ 가운데 부분으로 꺾여 나아감.
• ㉢ 가장자리 바깥 부분으로 꺾여 나아감.

3일 간이 사진기

[7~8] 다음은 간이 사진기의 겉 상자와 속 상자의 모습입니다. 물음에 답하시오.

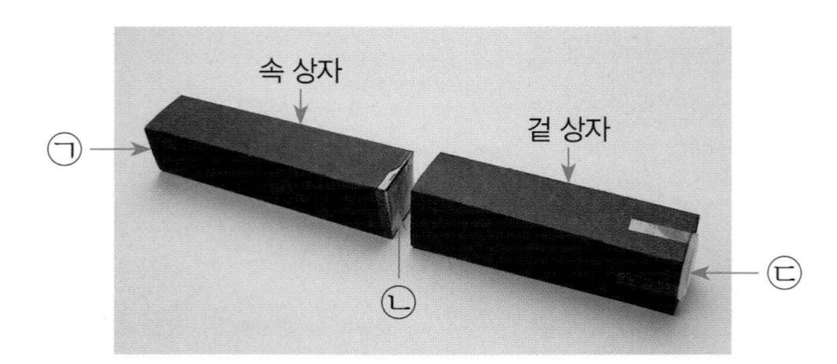

7 위의 간이 사진기에서 눈을 대고 물체를 관찰하는 곳은 어디인지 기호를 쓰시오.

( )

8 다음 중 위 간이 사진기에서 ㉢이 하는 역할에 대한 설명으로 옳은 것은 어느 것입니까? ( )

① 물체에서 나온 빛을 모은다.
② 햇빛을 여러 빛깔로 나뉘게 한다.
③ 물체에서 나온 빛을 퍼지게 한다.
④ 실제 물체의 모습과 같게 보이도록 한다.
⑤ 상자 안으로 빛이 들어오지 않게 막아 물체의 모습을 선명하게 볼 수 있게 한다.

9 다음 중 오른쪽 물체를 간이 사진기로 관찰했을 때의 모습으로 옳은 것은 어느 것입니까? ( )

①
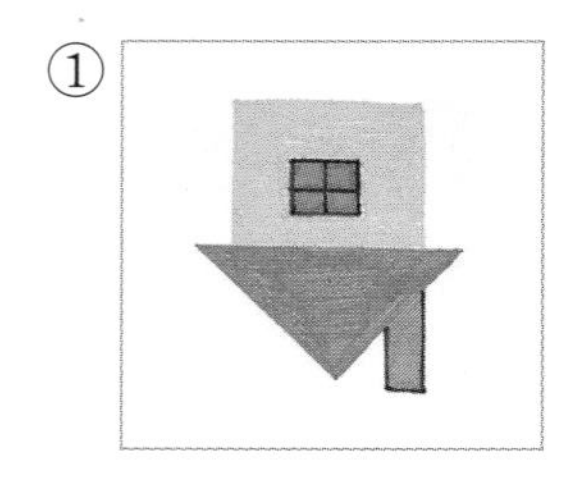

②
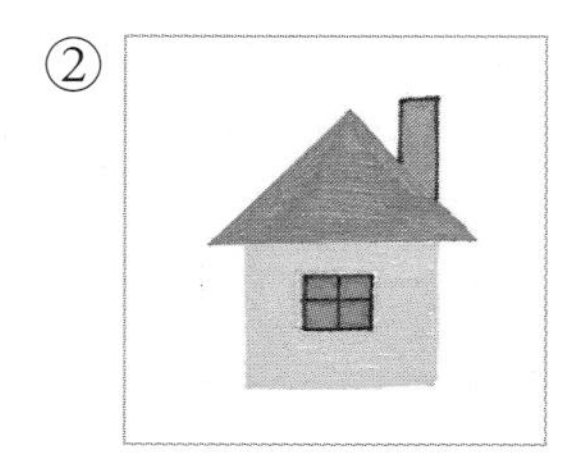

③
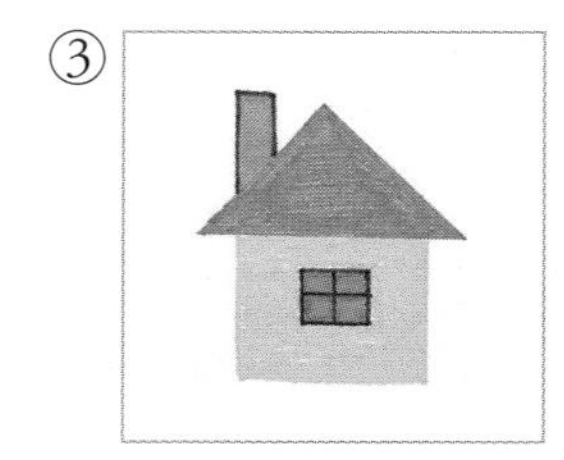

④
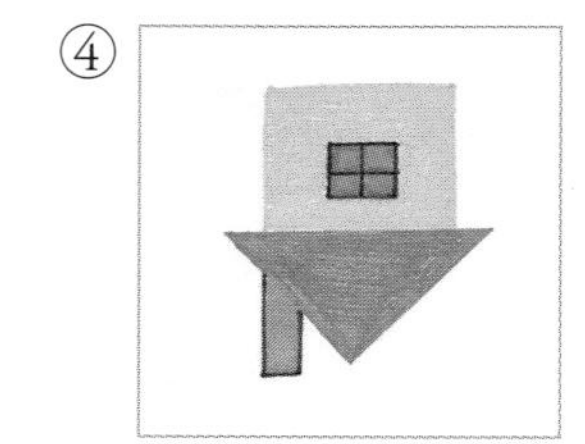

4일 볼록 렌즈를 이용한 기구

10 다음 각 기구에 공통적으로 이용된 것은 무엇인지 쓰시오.

▲ 확대경

▲ 사진기

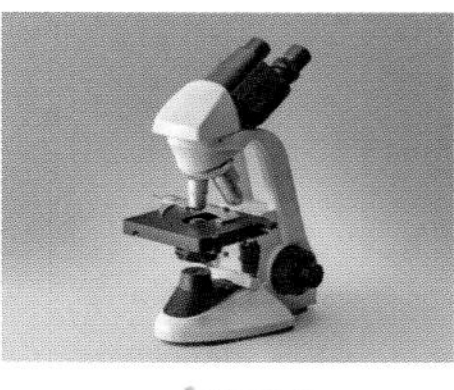
▲ 현미경

▲ 돋보기안경

( )

11 다음 중 우리 생활에서 볼록 렌즈를 사용하는 경우가 아닌 것은 어느 것입니까? ( )

① 섬세한 작업을 할 때
② 작은 물체를 관찰할 때
③ 멀리 있는 물체를 확대해서 볼 때
④ 어두운 곳에 있는 물체를 관찰할 때
⑤ 가까운 것이 잘 보이지 않는 사람의 안경으로 사용할 때

4 주

12 다음 십자말풀이를 해 보세요.

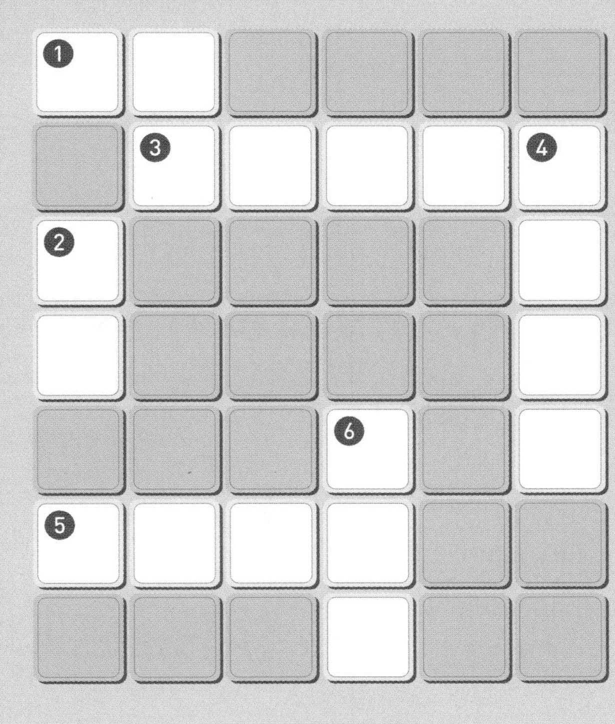

가로

❶ 빛이 서로 다른 두 물질의 경계를 지날 때 꺾여 나아가는 현상. 빛의 □□
❸ 볼록 렌즈 등을 이용해서 간단하게 만든 사진기
❺ 면이 평평한 유리

세로

❷ 가운데 부분이 가장자리보다 두꺼운 렌즈. □□ 렌즈
❹ 간이 사진기의 속 상자에 붙이는 것
❻ 유리나 플라스틱으로 만든 투명한 삼각 기둥 모양의 기구

4주 누구나 100점 TEST

맞은 개수 /10개

1 다음은 프리즘을 통과한 햇빛의 모습을 그린 것입니다. 이를 보아 알게 된 점으로 옳은 것은 어느 것입니까? (　　　　)

① 햇빛은 투명하지 않다.
② 햇빛의 색깔은 흰색이다.
③ 햇빛은 프리즘을 통과하지 못한다.
④ 햇빛은 한 가지 빛깔로 이루어져 있다.
⑤ 햇빛은 여러 가지 빛깔로 이루어져 있다.

2 레이저 지시기의 빛을 여러 각도에서 비췄을 때, 공기와 물의 경계에서 빛이 나아가는 모습을 각각 화살표로 그리시오.

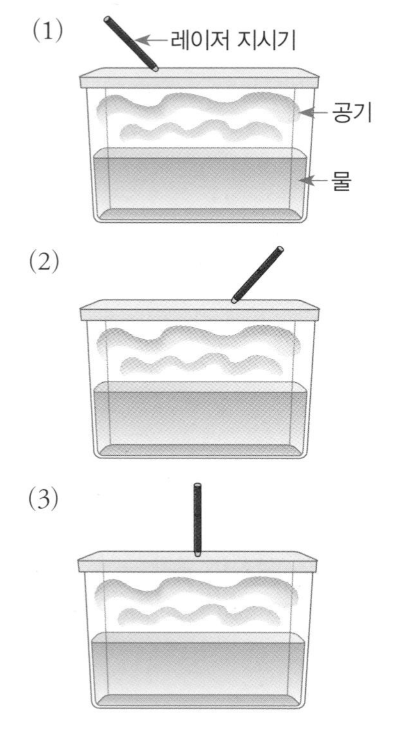

3 서로 다른 물질의 경계에서 빛이 꺾여 나아가는 현상을 빛의 무엇이라고 하는지 보기에서 골라 기호를 쓰시오.

보기
㉠ 반사　　㉡ 직진　　㉢ 굴절

(　　　　　　　　)

4 컵에 젓가락을 넣고 물을 부었을 때 오른쪽과 같이 젓가락이 꺾여 보이는 현상과 관련 있는 것으로 옳은 것은 어느 것입니까? (　　　　)

① 실제 젓가락이 휘어진다.
② 실제 젓가락의 위치가 변한다.
③ 빛이 공기와 물의 경계에서 꺾여 나아간다.
④ 빛이 공기와 물의 경계에서 통과하지 못한다.
⑤ 빛이 공기와 물의 경계에서 거울처럼 반사된다.

5 다음 중 볼록 렌즈에 대한 설명으로 옳은 것에는 ○표, 옳지 않은 것에는 ×표를 하시오.

(1) 가운데 부분이 가장자리보다 두껍습니다. (　　)
(2) 빛을 굴절시켜 한 곳으로 모을 수 있습니다. (　　)
(3) 볼록 렌즈와 가까이 있는 물체는 거꾸로 보입니다. (　　)

6 레이저 지시기의 빛이 볼록 렌즈의 다음 부분을 통과할 때의 모습을 바르게 줄로 이으시오.

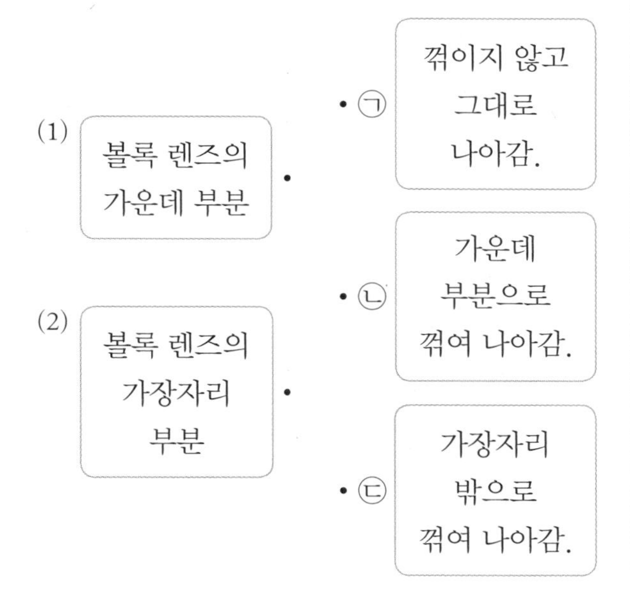

7 다음은 간이 사진기의 겉 상자와 속 상자의 모습입니다. ㉠과 ㉡에 붙이는 것을 바르게 짝지은 것은 어느 것입니까? (　　　)

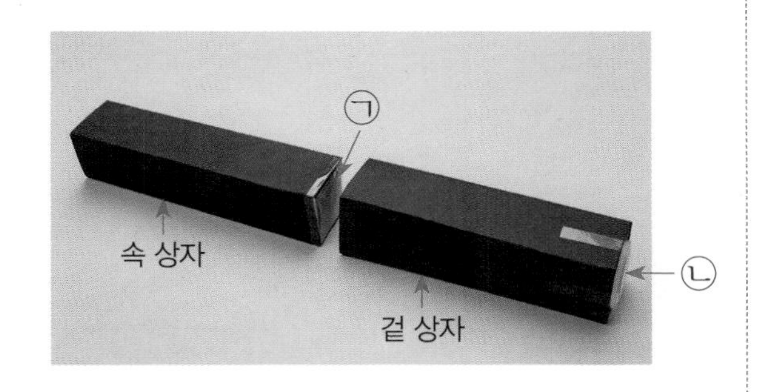

	㉠	㉡
①	도화지	볼록 렌즈
②	돋보기	평면 유리
③	볼록 렌즈	기름종이
④	거름종이	볼록 렌즈
⑤	기름종이	볼록 렌즈

8 다음 물체를 간이 사진기로 관찰하였을 때, 간이 사진기로 본 물체의 모습을 그리시오.

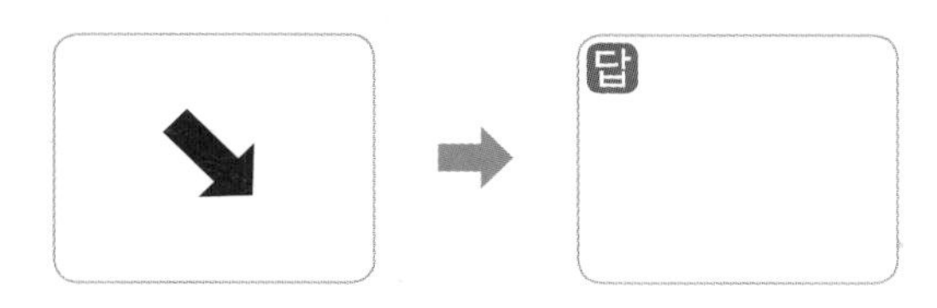

9 다음은 간이 사진기로 본 물체의 모습이 물체의 실제 모습과 다르게 보이는 까닭입니다. ㉠, ㉡ 안에 들어갈 알맞은 말을 쓰시오.

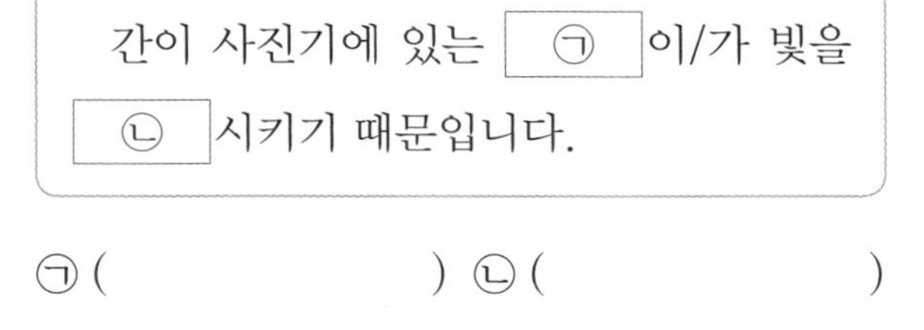

㉠ (　　　　　　) ㉡ (　　　　　　)

10 다음 기구를 만드는 데 공통으로 이용한 것은 어느 것입니까? (　　　)

▲ 망원경　▲ 현미경　▲ 확대경

① 프리즘　② 오목 렌즈
③ 볼록 렌즈　④ 평면 유리
⑤ 겉 상자와 속 상자

4주

4주 특강 생활 속 과학

렌즈의 종류별 특징을 통해 볼록 렌즈의 쓰임새를 살펴봅니다.

렌즈의 종류

칠판의 글씨 등 먼 곳이 잘 보이지 않는 친구가 쓰는 안경은 오목 렌즈로 만들어요. 반면 책의 글씨 등 가까운 곳이 잘 보이지 않는 할머니나 할아버지께서 쓰시는 안경은 볼록 렌즈로 만든 돋보기안경입니다. 각 렌즈의 특징과 쓰임새를 알아볼까요?

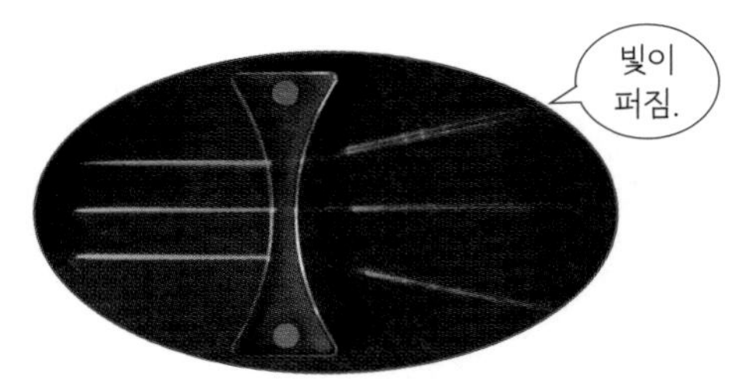

▲ 오목 렌즈를 통과한 빛

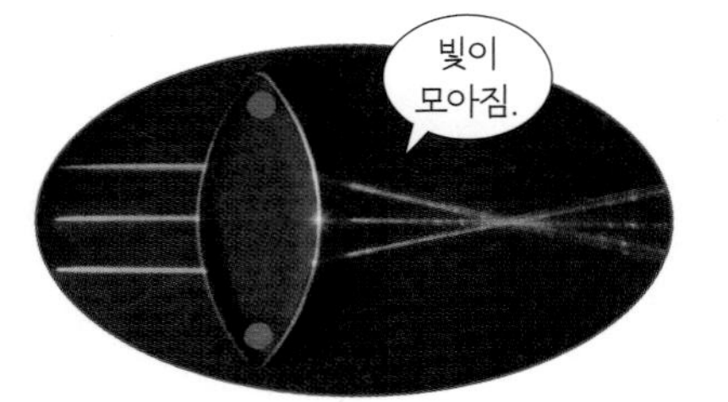

▲ 볼록 렌즈를 통과한 빛

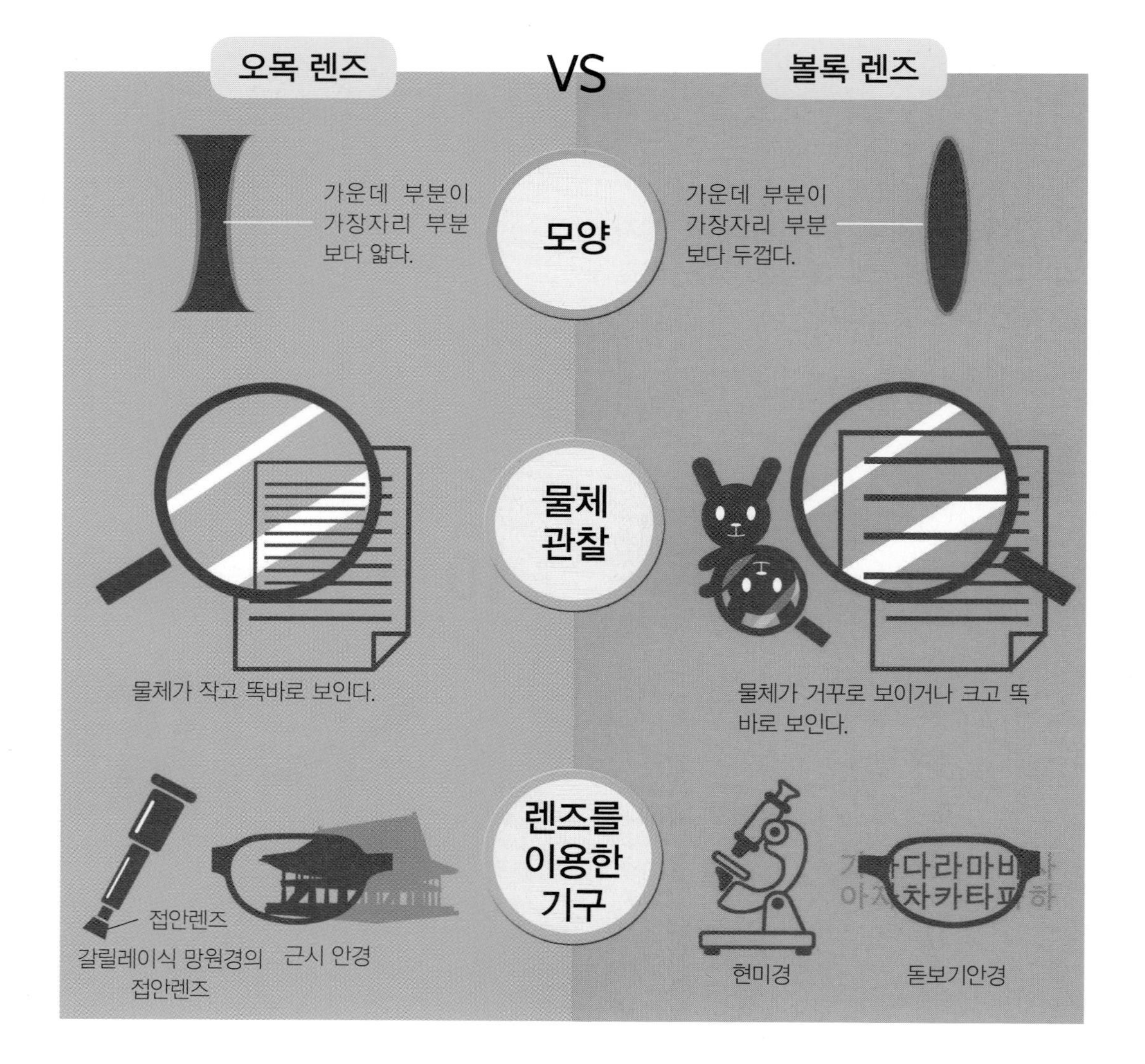

정답과 풀이 16쪽

빠른 정답 보기

1 다음은 여러 가지 모양의 블록이 위에서 떨어지면서 아래 블록의 빈 곳을 채우는 게임이에요. 볼록 렌즈를 이용한 기구만 아래 블록의 빈 곳을 채울 수 있어요. 해당하는 블록에 ○표를 하고, 아래 블록의 빈 곳 중 채울 수 있는 부분과 줄로 연결하세요. (단, 블록은 상하좌우 움직일 수 있어요.)

창의·융합·코딩

사고 쑥쑥

빛이 볼록 렌즈와 물질의 경계를 지나는 모습을 통해 빛의 굴절을 살펴봅니다.

2 다음과 같이 설치된 장치에 레이저 빛을 비추었을 때 빛이 볼록 렌즈와 물이 든 수조를 통과해 나아가는 모습을 그리세요. (단, 수조는 투명한 플라스틱으로 만든 것이에요.)

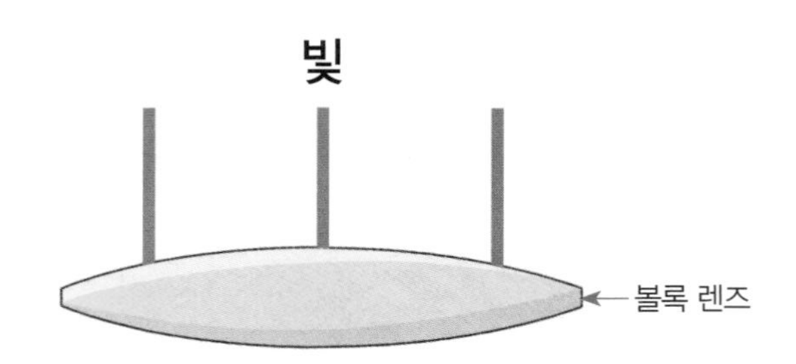

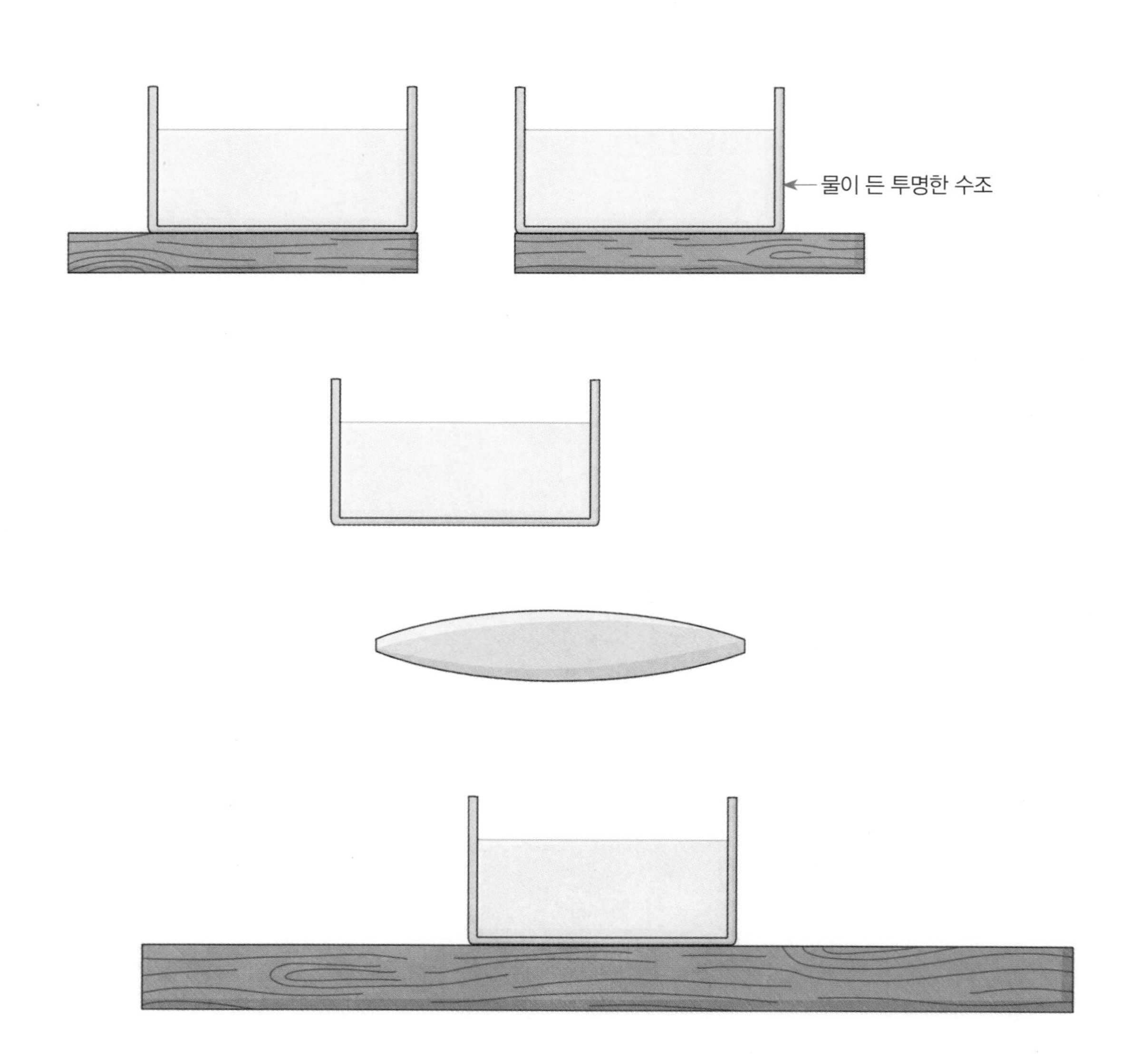

사다리타기를 통해 간이 사진기로 본 물체의 모습을 살펴봅니다.

3 친구들이 오른쪽 그림을 간이 사진기로 보고, 간이 사진기를 통해 보이는 모습을 그려 각자 사다리 밑에 두었어요. 간이 사진기로 보이는 모습을 맞게 그린 친구는 누구인지 찾아 이름을 쓰세요.

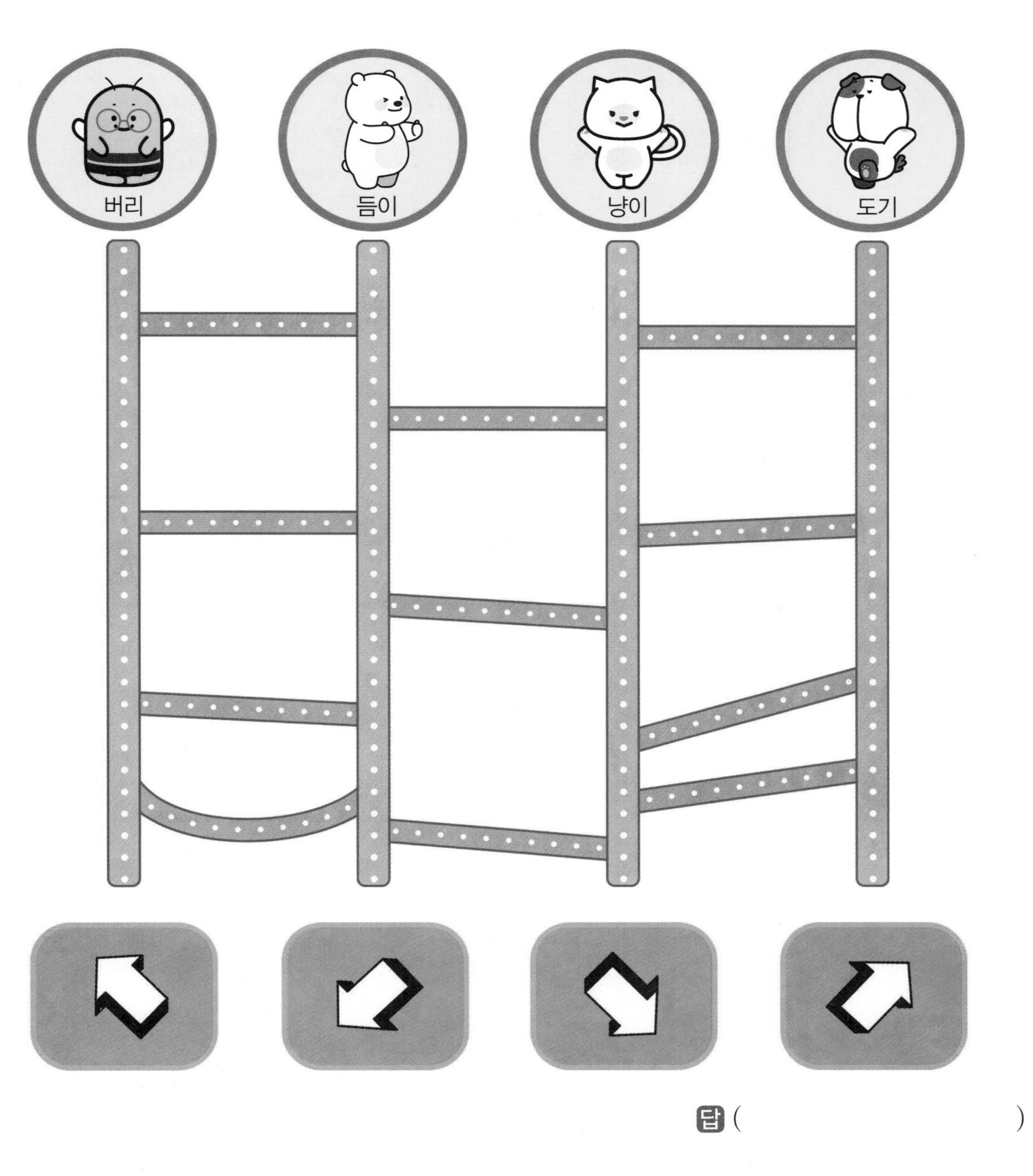

답 (   )

4 주

4주 특강 논리 탄탄

암호문 해독을 통해 간이 사진기의 원리를 살펴봅니다.

4 다음 암호문을 해독하고 정답을 구하세요.

(1) 조수가 본 힌트의 실제 모습을 쓰세요.

( )

(2) 다음은 힌트를 풀 수 있는 암호 해독문입니다. 암호를 해독하여 정답을 쓰세요.

암호 해독문

1	2	3	4	5
빛	물	의	질	반
6	7	8	9	10
굴	사	투	명	절

( )

순서도를 통해 볼록 렌즈로 본 물체의 모습을 살펴봅니다.

5 다음 ☐ 안에 알맞은 명령어를 넣어 순서도를 완성하고, 문제를 해결하는 과정에 맞게 길을 따라가며 표시하세요.

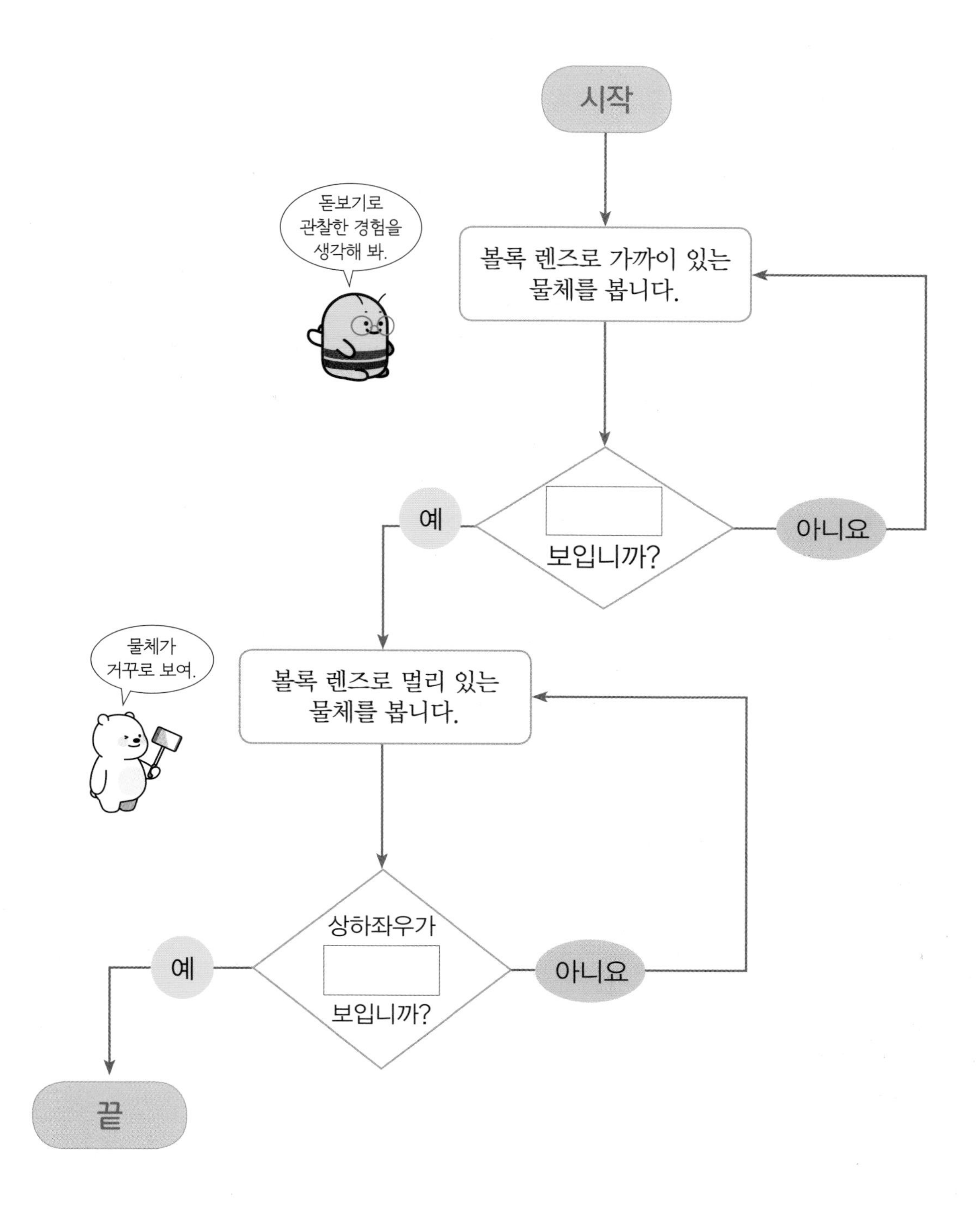

4 주

여러 가지 실험 기구

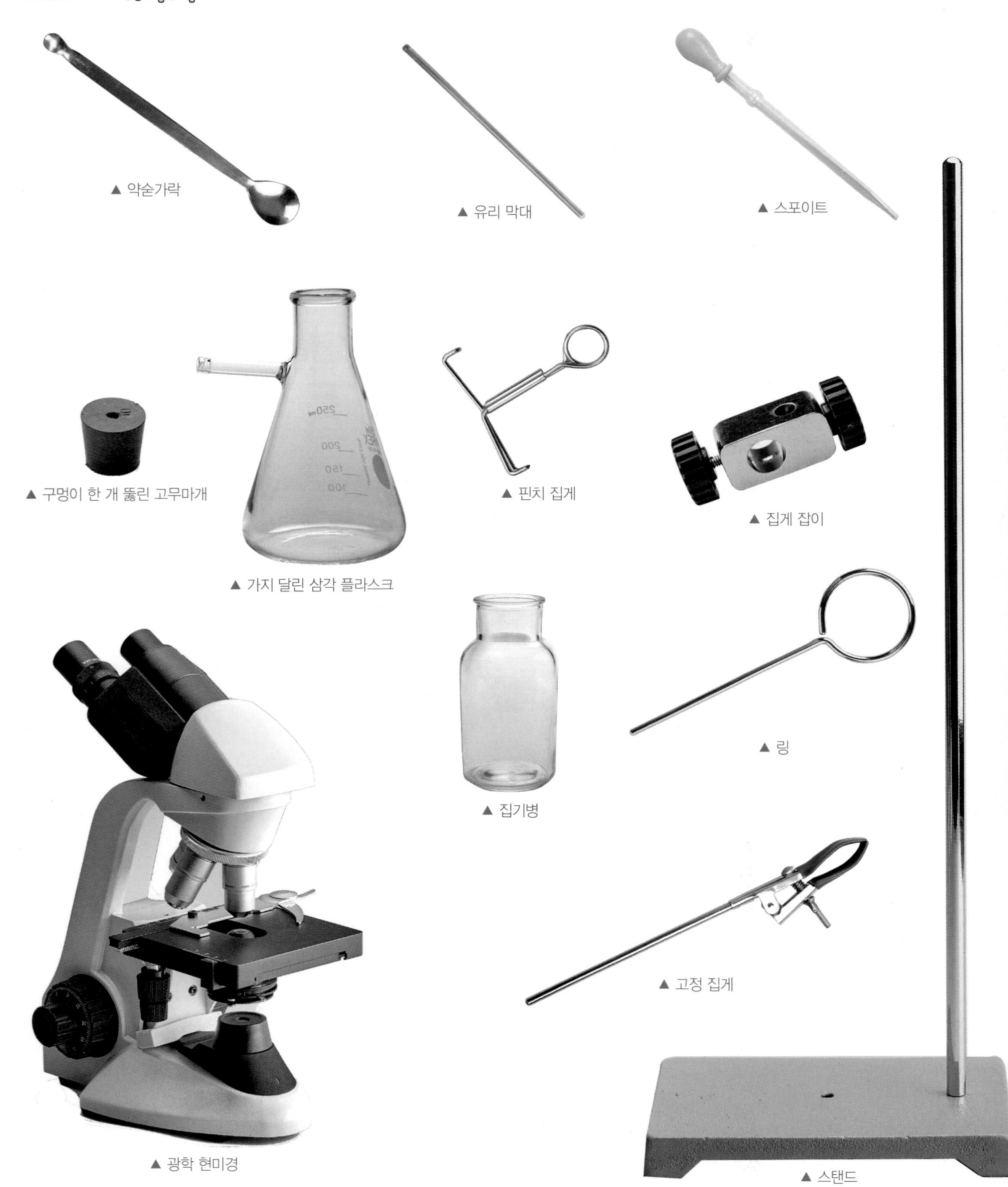

▲ 약숟가락

▲ 유리 막대

▲ 스포이트

▲ 구멍이 한 개 뚫린 고무마개

▲ 가지 달린 삼각 플라스크

▲ 핀치 집게

▲ 집게 잡이

▲ 집기병

▲ 링

▲ 광학 현미경

▲ 고정 집게

▲ 스탠드

정답과 풀이

1주 지구와 달의 운동

1일 지구의 자전

15쪽 개념 체크

1 서쪽　2 한　3 자전축

16~17쪽 개념 확인하기

1 예 반대　2 ④　3 ㉡　4 ④
5 ㉠　6 ③

똑똑한 하루 퀴즈

7

자	☆	한	☆
동	전	☆	태
반	쪽	축	양
대	지	구	☆

❶ 태양 ❷ 한 ❸ 동쪽 ❹ 반대 ❺ 자전축

풀이

1 빠르게 달리는 기차 안에서 창밖을 보면 물체가 기차가 달리는 반대 방향으로 빠르게 움직이는 것처럼 보입니다.

2 하루 동안 지구의 움직임을 알아보는 실험에서 전등은 태양을 나타냅니다.

3 우리나라 위치에 동서남북 붙임딱지를 바르게 붙인 것은 ㉡입니다.

4 실험에서 지구의는 서쪽에서 동쪽으로 회전시켜야 합니다.

5 지구는 서쪽에서 동쪽으로 자전합니다.

6 지구는 하루에 한 바퀴씩 자전하며, 서쪽에서 동쪽으로 회전합니다.

왜 틀렸을까?
㉠ 지구는 자전축을 중심으로 자전합니다.
㉣ 지구의 자전은 지구가 서쪽에서 동쪽으로 하루에 한 바퀴씩 회전하는 것입니다.

7 ❶ 하루 동안 지구의 움직임을 관찰하는 실험에서 전등은 태양을 나타냅니다.
❷ 지구가 자전축을 중심으로 하루에 한 바퀴씩 회전하는 것을 지구의 자전이라고 합니다.
❸ 지구는 서쪽에서 동쪽으로 자전합니다.
❹ 지구는 시계 반대 방향으로 자전합니다.
❺ 지구의 북극과 남극을 이은 가상의 직선을 지구의 자전축이라고 합니다.

2일 하루 동안 태양과 달의 위치 변화

21쪽 개념 체크

1 남　2 달　3 낮

22~23쪽 개념 확인하기

1 ③　2 ㉡　3 예 자전　4 ㉡

집중 연습 문제

5 ㉠ 낮 ㉡ 밤
- 태양 빛을 받는 쪽 ➡ 낮
- 태양 빛을 받지 못하는 쪽 ➡ 밤

6 ㉠, ㉣

풀이

1 하루 동안 태양은 동쪽 하늘에서 남쪽 하늘을 지나 서쪽 하늘로 움직이는 것처럼 보입니다.

2 밤 12시 무렵에는 남쪽 하늘에서 보름달을 볼 수 있습니다.

3 지구가 서쪽에서 동쪽으로 자전하기 때문에 하루 동안 태양과 달은 모두 동쪽에서 서쪽으로 움직이는 것처럼 보입니다.

4 관측자 모형이 전등 빛을 받지 못하는 때는 ㉡입니다.

5 ㉠의 위치는 낮이 되고, ㉡의 위치는 밤이 됩니다.

6 지구는 하루에 한 바퀴씩 자전합니다. 지구가 자전하면서 태양 빛을 받는 쪽은 낮이 되고, 태양 빛을 받지 못하는 쪽은 밤이 됩니다. 이 때문에 낮과 밤이 하루에 한 번씩 번갈아 나타납니다.

3일 지구의 공전

27쪽 개념 체크

1 태양 2 여름 3 일

28~29쪽 개념 확인하기

1 ④ 2 다른 3 ⑤ 4 ㉠
5 ⑤

똑똑한 하루 퀴즈

6

대	동	☆	공
☆	표	쪽	전
태	양	적	☆
사	자	자	리

❶ 공전 ❷ 동쪽 ❸ 사자자리 ❹ 태양

풀이

1 지구의가 전등 주위를 공전하면서 지구의가 놓인 위치가 (가)~(라)로 달라지므로, (가)~(라) 위치에서 우리나라가 한밤일 때 보이는 교실의 모습은 모두 다릅니다.

2 (가)~(라) 위치에서 우리나라가 한밤일 때 관측자 모형에게 보이는 교실의 모습은 모두 다릅니다. 그 까닭은 지구의가 전등을 중심으로 회전하기 때문에 지구의가 놓인 위치에 따라 우리나라가 한밤일 때 향하는 곳이 달라지기 때문입니다.

3 지구는 자전하면서 동시에 태양을 중심으로 일정한 길을 따라 공전합니다.

왜 틀렸을까?
① 지구가 공전하는 방향은 시계 반대 방향입니다.
② 지구는 태양을 중심으로 공전합니다.
③ 지구의 공전 방향은 서쪽에서 동쪽입니다.
④ 지구가 태양을 중심으로 회전하는 것입니다.

4 ㉠은 여름철 대표적인 별자리이고, ㉡은 겨울철 대표적인 별자리입니다.

5 지구가 봄철 위치에 있을 때 봄철 별자리는 태양과 반대 방향에 있습니다.

6 ❶ 지구가 태양을 중심으로 일 년에 한 바퀴씩 회전하는 것을 지구의 공전이라고 합니다.
❷ 지구는 서쪽에서 동쪽으로 공전합니다.
❸ 사자자리는 봄철의 대표적인 별자리입니다.
❹ 지구가 봄철 위치에 있을 때 가을철 별자리는 태양과 같은 방향에 있기 때문에 볼 수 없습니다.

4일 달의 모양과 위치 변화

33쪽 개념 체크

1 30 2 보름달 3 서

34~35쪽 개념 확인하기

1 ⑤ 2 ㉠ 3 ④ 4 보름달
5 (1) ㉡ (2) ㉠ (3) ㉢ 6 예 동

똑똑한 하루 퀴즈

7

보	☆	그	☆
☆	름	믐	모
상	현	달	양
☆	동	쪽	☆
남	쪽	☆	☆

❶ 그믐달 ❷ 상현달 ❸ 보름달 ❹ 남쪽

풀이

1 달은 15일 동안 점점 커지다가 보름달이 되면 이후 15일 동안 점점 작아집니다.

2 음력 7~8일 무렵에 볼 수 있는 상현달은 ㉠입니다.

3 음력 27~28일 무렵에 볼 수 있는 그믐달은 ㉡입니다.

4 상현달이 점점 커져 보름달이 된 뒤에는 점점 작아지면서 하현달, 그믐달이 됩니다.

5 태양이 진 직후 초승달은 서쪽 하늘, 상현달은 남쪽 하늘, 보름달은 동쪽 하늘에서 보입니다.

6 달은 서쪽에서 동쪽으로 날마다 조금씩 위치를 옮겨 가면서 그 모양도 달라집니다.

7 ❶ 음력 27~28일 무렵에는 그믐달이 보입니다.
❷ 음력 7~8일 무렵에는 상현달이 보입니다.
❸ 음력 15일 무렵에는 보름달이 보입니다.
❹ 태양이 진 직후 상현달은 남쪽 하늘에서 보입니다.

5일 1주 마무리하기

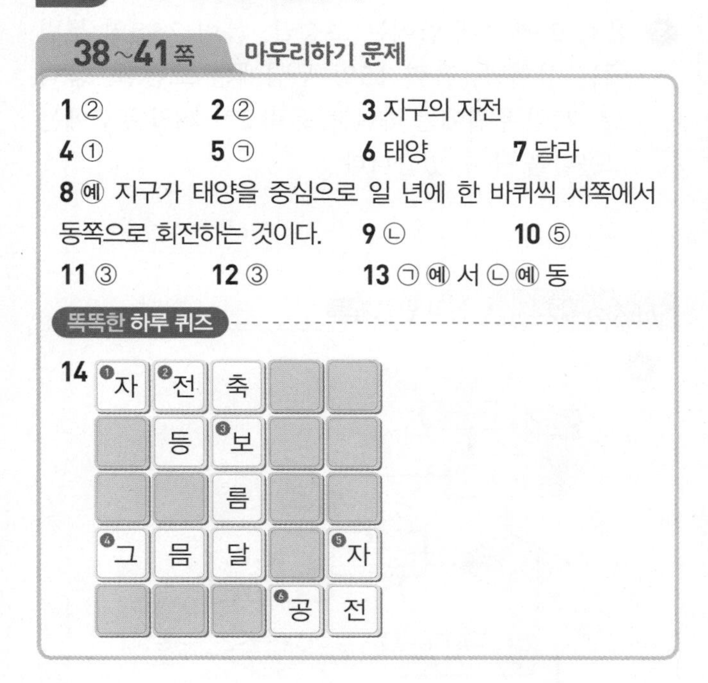

38~41쪽 마무리하기 문제

1 ② 2 ② 3 지구의 자전
4 ① 5 ㉠ 6 태양 7 달라
8 예 지구가 태양을 중심으로 일 년에 한 바퀴씩 서쪽에서 동쪽으로 회전하는 것이다. 9 ㉡ 10 ⑤
11 ③ 12 ③ 13 ㉠ 예 서 ㉡ 예 동

똑똑한 하루 퀴즈

14

❶자	❷전	축		
	등	❸보		
		름		
❹그	믐	달		❺자
			❻공	전

풀이

1 지구의는 서쪽에서 동쪽으로 회전시킵니다.

2 지구의를 서쪽에서 동쪽으로 회전시키면, 전등이 동쪽에서 서쪽으로 움직이는 것처럼 보입니다.

3 지구의 자전은 지구가 자전축을 중심으로 하루에 한 바퀴씩 서쪽에서 동쪽으로 회전하는 것입니다.

4 하루 동안 태양과 달은 동쪽 하늘에서 남쪽 하늘을 지나 서쪽 하늘로 움직이는 것처럼 보입니다.

5 ㉠은 낮일 때의 위치이고, ㉡은 밤일 때의 위치입니다.

6 지구가 자전하면서 태양 빛을 받는 쪽과 받지 못하는 쪽이 생기기 때문에 낮과 밤이 나타납니다.

7 지구가 공전하면서 지구의 위치가 달라지고, 한밤일 때 보이는 별자리의 모습이 달라집니다.

8 지구가 태양을 중심으로 일 년에 한 바퀴씩 회전하는 것을 지구의 공전이라고 합니다.

인정 답안

회전하는 중심, 한 바퀴 회전하는 데 걸리는 시간, 회전하는 방향 등이 있으면 정답으로 인정합니다.

인정 답안의 예

- 태양을 중심으로 지구가 일 년에 한 바퀴 회전하는 것이다.
- 지구가 태양 주위를 시계 반대 방향으로 회전하는 것이다. 등

9 가을철 대표적인 별자리는 태양과 같은 방향에 있어서 태양 빛 때문에 봄철에 볼 수 없습니다.

10 계절에 따라 보이는 별자리가 달라지는 것은 지구가 태양 주위를 공전하기 때문입니다.

11 달의 모양은 약 30일을 주기로 변합니다.

12 초승달은 눈썹 모양의 달로, 음력 2~3일 무렵에 볼 수 있습니다. 초승달은 ③입니다.

왜 틀렸을까?

① 음력 7~8일 무렵에 볼 수 있는 상현달입니다.
② 음력 27~28일 무렵에 볼 수 있는 그믐달입니다.
④ 음력 22~23일 무렵에 볼 수 있는 하현달입니다.

13 여러 날 동안 같은 시각에 달을 관측하면 달은 서쪽에서 동쪽으로 날마다 조금씩 위치를 옮겨가면서 그 모양도 달라집니다.

14 ❶은 자전축, ❷는 전등, ❸은 보름달, ❹는 그믐달, ❺는 자전, ❻은 공전입니다.

1주 | TEST+특강

42~43쪽 누구나 100점 TEST

1 ④	2 ㉠ 서 ㉡ 동		3 자전축
4 ④	5 ⑤	6 ⑤	7 ㉢
8 공전	9 ⑤	10 ㉠ 동 ㉡ 남 ㉢ 서	

풀이

1 지구의 자전에 대해 알아보는 실험입니다.

2 지구는 서쪽에서 동쪽으로 자전합니다.

3 자전축은 지구의 북극과 남극을 이은 가상의 직선입니다.

4 태양은 동쪽 하늘에서 보이기 시작하여 남쪽 하늘을 지나 서쪽 하늘로 움직이는 것처럼 보입니다.

5 지구의를 회전시키면 낮과 밤이 바뀝니다.

6 지구는 일 년에 한 바퀴씩 공전합니다.

7 지구의 공전 방향은 서쪽에서 동쪽입니다.

8 계절에 따라 보이는 별자리가 달라지는 까닭은 지구가 공전하면서 지구의 위치가 달라지기 때문입니다.

9 ①은 그믐달, ②는 초승달, ③은 하현달, ④는 상현달, ⑤는 보름달의 모습입니다.

10 태양이 진 직후 보름달은 동쪽 하늘, 상현달은 남쪽 하늘, 초승달은 서쪽 하늘에서 보입니다.

45쪽 생활 속 과학 융합

❶

풀이

❶ 사자자리는 겨울, 봄, 여름에 걸쳐서 보입니다. 백조자리, 독수리자리, 거문고자리는 여름철의 대표적인 별자리입니다. 계절에 따라 보이는 별자리가 달라지는 까닭은 지구의 공전 때문입니다.

46~47쪽 사고 쑥쑥 창의

❷ 카시오페이아

❸ (1) ㉣ (2) ㉢ (3) ㉡ (4) ㉠

풀이

❷ 지구의 북극과 남극을 이은 가상의 직선은 자전축입니다. 지구는 하루에 한 번씩 자전하면서 일 년에 한 번씩 공전합니다.

❸ 음력 2~3일 무렵에는 초승달, 음력 7~8일 무렵에는 상현달, 음력 15일 무렵에는 보름달, 음력 22~23일 무렵에는 하현달, 음력 27~28일 무렵에는 그믐달을 볼 수 있습니다.

48~49쪽 논리 탄탄 코딩

❹

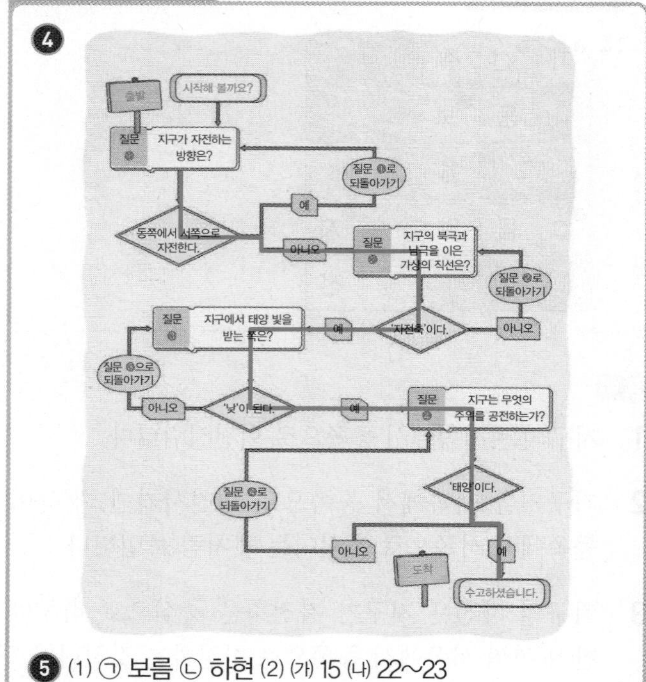

❺ (1) ㉠ 보름 ㉡ 하현 (2) ㈎ 15 ㈏ 22~23

풀이

❹ 지구가 자전하는 방향은 서쪽에서 동쪽입니다. 지구의 북극과 남극을 이은 가상의 직선을 자전축이라고 합니다. 지구에서 태양 빛을 받는 쪽은 낮이 되고, 지구는 태양을 중심으로 공전합니다.

❺ 공처럼 달의 모습이 모두 보이는 달은 보름달이고, 왼쪽이 불룩한 모양의 달은 하현달입니다.

2주 여러 가지 기체

1일 산소의 성질과 이용

57쪽 개념 체크

1 거꾸로 2 없 3 산소

58~59쪽 개념 확인하기

1 ④ 2 묽은 과산화 수소수 3 ㉠
4 ② 5 경훈

집중 연습 문제

6 ①, ⑤
- 색깔이 없다.
- 냄새가 없다.
- 물질이 타는 것을 돕는다.

7 ㉢

풀이

1 기체 발생 장치를 꾸밀 때 알코올램프는 필요하지 않습니다.

2 산소를 발생시킬 때 묽은 과산화 수소수를 깔때기에 붓습니다.

3 산소가 든 집기병에 향불을 넣으면 향불의 불꽃이 커집니다.

4 응급 환자의 호흡 장치에 이용되는 기체는 산소입니다.

5 산소는 색깔과 냄새가 없고 우리가 숨 쉬는 데 꼭 필요한 기체입니다.

왜 틀렸을까?
경훈 : 산소가 든 집기병에 향불을 넣으면 향불의 불꽃이 커집니다.

6 산소는 색깔과 냄새가 없고, 물질이 타는 것을 돕습니다.

7 산소는 잠수부나 소방관이 사용하는 압축 공기통, 응급 환자의 산소 호흡 장치 등에 사용되어 우리가 숨을 쉬는 데 도움을 줍니다.

2일 이산화 탄소의 성질과 이용

63쪽 개념 체크

1 식초 2 석회수 3 탄산

64~65쪽 개념 확인하기

1 탄산수소 나트륨 2 ㉡
3 (1) ○ (2) × (3) ○ 4 ⑤ 5 ㉠
6 드라이아이스

똑똑한 하루 퀴즈

7

물	감		식
소	이	초	질
화	석		이
기	열	회	화
산		타	수

❶ 식초
❷ 석회수
❸ 소화기

풀이

1 가지 달린 삼각 플라스크에 물을 조금 넣은 뒤 탄산수소 나트륨을 넣습니다.

2 물을 가득 채운 집기병을 물이 든 수조에 거꾸로 세웁니다.

3 이산화 탄소는 다른 물질이 타는 것을 막는 성질이 있습니다.

4 탄산음료를 컵에 따랐을 때 볼 수 있는 거품은 탄산음료에 녹아 있던 이산화 탄소가 나온 것입니다.

5 잠수부가 사용하는 압축 공기통에는 산소가 들어 있습니다.

6 음식을 차갑게 보관하는 데 필요한 드라이아이스는 이산화 탄소로 만들어져 있습니다.

7 ❶ 탄산수소 나트륨과 진한 식초가 만나면 이산화 탄소 기체가 발생합니다.
❷ 이산화 탄소를 석회수에 넣으면 석회수가 뿌옇게 흐려집니다.
❸ 이산화 탄소는 물질이 타는 것을 막는 소화기에 이용됩니다.

정답과 풀이

3일 기체의 부피와 압력

69쪽 개념 체크

1 부피　　2 액체　　3 커

70~71쪽 개념 확인하기

1 ㉡　　2 예 약하게　　3 ㉠ 기체 ㉡ 액체
4 부풀어 오릅니다　　5 <

집중 연습 문제

6 ③　　7 ㉢

풀이

1 공기를 넣은 주사기의 피스톤을 누르면 피스톤이 안으로 들어가지만 물을 넣은 주사기의 피스톤을 누르면 피스톤이 안으로 들어가지 않습니다.

2 기체는 압력을 가한 정도에 따라 부피가 달라집니다.

3 액체는 압력을 가해도 부피가 거의 변하지 않지만, 기체는 압력을 가한 정도에 따라 부피가 달라집니다.

4 하늘의 비행기 안에 있는 과자 봉지는 땅에서보다 낮아진 기압 때문에 부풀어 오릅니다.

5 바닷속에서 잠수부가 내뿜는 공기 방울은 물 표면으로 올라오면서 주위의 압력이 낮아지므로 공기 방울의 부피가 점점 커집니다. 따라서 물 표면으로 올라갈수록 공기 방울의 크기가 커집니다.

6 기체에 압력을 세게 가한 경우 주사기의 피스톤이 가장 많이 들어갑니다.

7 기체에 압력을 약하게 가하면 부피가 조금 작아집니다.

4일 기체의 부피와 온도 / 기체의 쓰임새

75쪽 개념 체크

1 부피　　2 높아　　3 수소

76~77쪽 개념 확인하기

1 (1) ㉡ (2) ㉠　　2 ㉠ 높아 ㉡ 커
3 아래로 내려갑니다　　4 재민
5 (1) ○ (2) ×　　6 ④

똑똑한 하루 퀴즈

7

구	★	낮	높
네	도	산	아
온	★	압	헬
수	질	륨	력
소	부	★	피

❶ 높아 ❷ 낮아 ❸ 질소

풀이

1 뜨거운 물에서는 고무풍선이 커지고, 얼음물에서는 고무풍선이 작아집니다.

2 온도가 높아지면 기체의 부피가 커지므로 고무풍선의 부피가 커지고, 온도가 낮아지면 기체의 부피가 작아지므로 고무풍선의 부피가 작아집니다.

3 온도가 낮아지면 기체의 부피가 작아지므로 물방울이 처음보다 아래로 내려갑니다.

4 기체는 온도에 따라 부피가 달라지며, 온도가 낮아지면 기체의 부피는 작아집니다.

5 뜨거운 음식을 비닐 랩으로 싸면 비닐 랩이 부풀어 오릅니다.

왜 틀렸을까?

(2) 물이 조금 든 페트병의 마개를 닫아 냉장고에 넣으면 페트병이 찌그러집니다. 이것은 온도가 낮아짐에 따라 페트병 속 기체의 부피가 작아졌기 때문입니다.

6 네온은 특유의 빛을 내는 조명 기구나 네온 광고에 이용됩니다.

왜 틀렸을까?

① 식품의 내용물을 보존하거나 신선하게 보관하는 데 이용하는 기체는 질소입니다.
② 탄산음료를 만드는 재료로 이용되는 기체는 이산화 탄소입니다.
③ 응급 환자의 호흡 장치에 이용되는 기체는 산소입니다.

7 ❶ 온도가 높아지면 기체의 부피는 커집니다.
❷ 온도가 낮아지면 기체의 부피는 작아집니다.
❸ 식품을 보존하거나 신선하게 보관하는 데 쓰이는 기체는 질소입니다.

5일 2주 마무리하기

80~83쪽 마무리하기 문제

1 ④ 2 ㉮ 향불의 불꽃이 커진다. 3 ③
4 탄산수소 나트륨, 진한 식초 5 ㉮ 투명하던 석회수가 뿌옇게 된다. 6 ㉠ 7 (3) ○
8 ㉠ 압력 ㉡ ㉮ 낮기 9 ㉡ 10 뜨거운 물
11 나영

똑똑한 하루 퀴즈

12

	❷과			❸질
❶이	산	화	탄	소
	화			
	❹수	소		
❺산	소			
	수			

풀이

1 가지 달린 삼각 플라스크에 물을 조금 넣고 이산화 망가니즈를 넣은 뒤 깔때기를 통해 묽은 과산화 수소수를 넣어 주면 거품이 생깁니다.

2 산소가 든 집기병에 향불을 넣으면 향불의 불꽃이 커집니다.

3 산소는 호흡 장치에 이용됩니다. 소화기, 탄산음료, 드라이아이스는 이산화 탄소를 이용한 예입니다.

4 탄산수소 나트륨에 진한 식초를 떨어뜨리면 이산화 탄소가 발생합니다.

5 이산화 탄소는 석회수를 뿌옇게 만드는 성질이 있습니다.

인정 답안
석회수의 변화를 옳게 썼으면 정답으로 인정합니다.
인정 답안의 예
• 석회수가 뿌옇게 된다.
• 뿌옇게 흐려진다.

6 이산화 탄소의 성질 중 물질이 타는 것을 막는 성질을 이용해 소화기를 만듭니다.

7 피스톤을 누르면 주사기에 들어 있는 공기의 부피가 작아집니다.

8 비행기 안의 압력은 땅에서보다 하늘에서 더 낮기 때문에 비행기 안에 있는 과자 봉지가 하늘을 나는 동안 더 부풀어 오릅니다.

9 삼각 플라스크 입구에 고무풍선을 씌운 뒤 뜨거운 물이 든 비커에 넣으면 고무풍선이 부풀어 오릅니다.

10 물방울이 든 플라스틱 스포이트를 뒤집어서 뜨거운 물이 든 비커에 넣으면 물방울이 처음보다 위로 올라갑니다.

11 페트병 속 기체의 온도가 높아져서 찌그러진 페트병이 펴질 것입니다.

12 ❶은 이산화 탄소, ❷는 과산화 수소수, ❸은 질소, ❹는 수소, ❺는 산소입니다.

2주 | TEST+특강

84~85쪽 누구나 100점 TEST

1 (1) × (2) ○ (3) × 2 이산화 망가니즈
3 ④ 4 ② 5 ㉡ 6 ④
7 커집니다 8 ↓ 9 ㉠ ㉮ 커 ㉡ ㉮ 작아
10 ③

풀이

1 집기병에는 물을 가득 채우고, 기체를 모을 때 처음에 나온 기체는 버리고 다시 모읍니다.

2 가지 달린 삼각 플라스크에 물을 조금 넣은 뒤 이산화 망가니즈를 한 숟가락 넣습니다.

3 잠수부의 압축 공기통이나 응급 환자의 호흡 장치에 이용되는 기체는 산소입니다.

4 깔때기에는 진한 식초를 붓고, 가지 달린 삼각 플라스크에는 물을 조금 넣은 뒤 탄산수소 나트륨을 넣습니다.

5 ㉠은 산소가 든 집기병에 향불은 넣은 결과이고, ㉡은 이산화 탄소가 든 집기병에 향불을 넣은 결과입니다.

6 피스톤을 누르면 주사기에 들어 있는 공기의 부피가 작아집니다.

7 바닷속에서 물 표면으로 올라갈수록 주위의 압력이 낮아지므로 잠수부가 내뿜은 공기 방울이 올라갈수록 더 커집니다.

8 플라스틱 스포이트에 든 물방울이 처음보다 아래로 내려갑니다.

9 온도가 높아지면 기체의 부피가 커지고, 온도가 낮아지면 기체의 부피가 작아집니다.

10 식품의 내용물을 보존하거나 신선하게 보관하는 데 이용하는 기체는 질소입니다.

86~87쪽 생활 속 과학 융합

❶

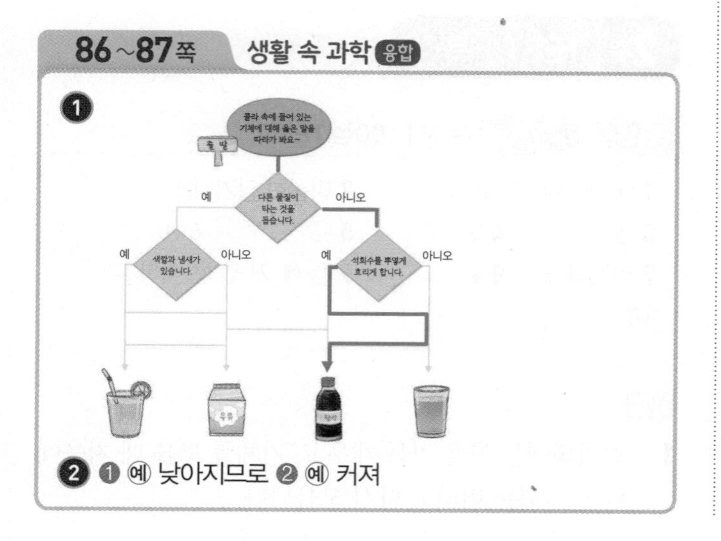

❷ ❶ 예 낮아지므로 ❷ 예 커져

풀이

❶ 이산화 탄소는 색깔과 냄새가 없는 기체로 다른 물질이 타는 것을 막습니다. 또 석회수를 뿌옇게 흐리게 합니다.

❷ 하늘 위로 올라갈수록 공기의 양이 적어 기체의 압력이 낮아지므로, 귀 안쪽 공기의 부피가 커져서 귀 안쪽의 막이 밖으로 밀려나기 때문에 귀가 먹먹해집니다.

89쪽 사고 쑥쑥 창의

❸ ③

풀이

❸ 1, 3, 5, 9번은 옳은 내용이고, 2, 4, 6, 7, 8번은 틀린 내용입니다. 조명 기구나 광고에는 네온, 소화기에는 이산화 탄소, 잠수부의 압축 공기통이나, 금속을 자르거나 붙일 때는 산소, 음식을 차갑게 보관하는 데는 이산화 탄소 기체가 이용됩니다.

90~91쪽 논리 탄탄 코딩

❹ 청바지 ❺ (1) 3 5 4 7 (2) 샤를

풀이

❹ 페트병을 마개로 막아 냉장고에 넣으면 부피가 작아지고, 하늘 위로 올라가는 고무풍선은 부피가 커집니다.

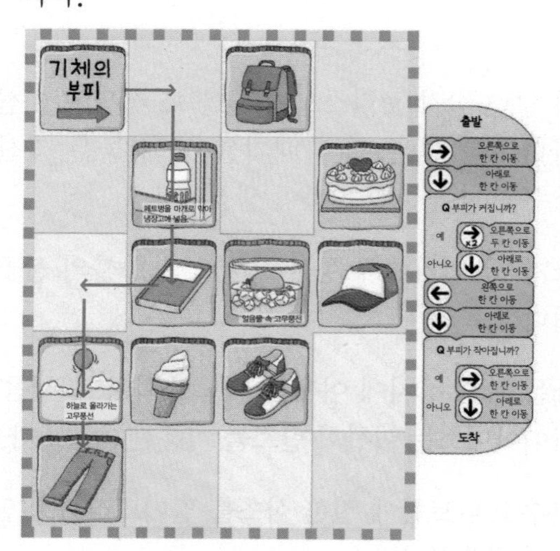

❺ 온도가 높아지면 기체의 부피가 커집니다. 프랑스의 과학자 샤를은 기체의 온도와 부피 관계를 알아내어 정리하였습니다.

3주 식물의 구조와 기능

1일 식물 세포

99쪽 개념 체크

1 세포　2 세포막　3 세포벽

100~101쪽 개념 확인하기

1 ㉢　2 ③　3 세포벽　4 ②, ⑤
5 ㉡　6 ②

똑똑한 하루 퀴즈

7

세	포	벽	지
포	☆	돋	현
막	보	미	핵
기	경	☆	산

❶ 현미경 ❷ 세포막 ❸ 세포벽

풀이

1 여러 가지 생물은 크기와 모양이 다르지만 모두 세포로 이루어져 있습니다.

2 세포는 대부분 크기가 매우 작기 때문에 현미경으로 관찰해야 합니다.

3 식물 세포의 가장 바깥을 싸고 있는 부분은 세포벽입니다.

4 식물 세포에서 ②, ⑤는 세포벽, ③은 핵, ④는 세포막이 하는 일입니다.

5 ㉠은 닭의장풀 공변세포, ㉡은 양파 표피 세포, ㉢은 소나무 꽃가루 세포의 모습입니다.

6 동물 세포는 핵(㉠)과 세포막(㉡)으로 이루어져 있습니다.

7 ❶은 현미경, ❷는 세포막, ❸은 세포벽입니다.

2일 뿌리와 줄기

105쪽 개념 체크

1 뿌리털　2 물　3 물

106~107쪽 개념 확인하기

1 예 다르다.　2 ④　3 흡수 기능　4 ③
5 ⑤　6 ㉢

집중 연습 문제

7 물 물　8 ⑤ 줄기

풀이

1 고추 뿌리는 굵고 곧은 뿌리에 가는 뿌리들이 나 있고, 파 뿌리는 굵기가 비슷한 뿌리가 여러 가닥으로 수염처럼 나 있습니다.

2 식물에 따라 뿌리의 생김새는 달라도 공통적으로 뿌리털이 있습니다.

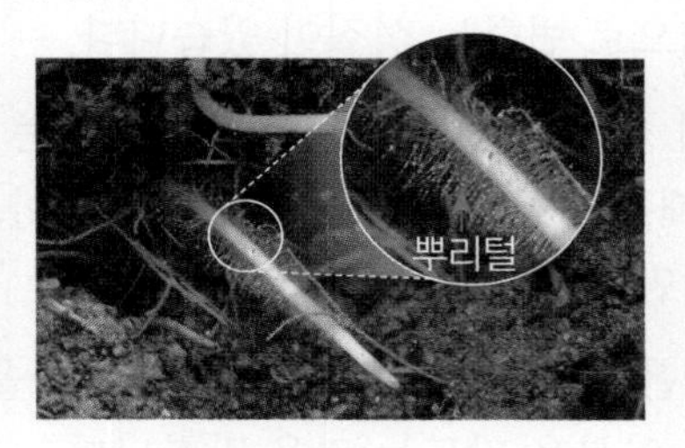

3 땅속으로 뻗어 물을 흡수하는 것은 뿌리의 흡수 기능에 대한 설명입니다.

4 고구마는 뿌리에 양분을 저장하기 때문에 뿌리가 굵고 큽니다.

5 굵고 곧게 뻗는 느티나무 줄기의 모습입니다.

6 줄기는 식물의 종류에 따라 곧게 뻗는 것, 다른 물체를 감는 것, 땅 위를 기는 것 등 생김새가 다양합니다.

7 붉은 색소 물에 백합 줄기를 넣어 두면 백합 줄기를 통해 붉은 색소 물이 이동하기 때문에 백합 줄기에 붉게 물든 부분이 나타납니다.

8 붉은 색소 물이 이동하여 백합 줄기에 붉게 물든 부분이 나타난 것으로 보아 줄기는 물이 이동하는 통로 역할을 함을 알 수 있습니다.

3일 잎

111쪽 개념 체크

1 녹말　2 잎　3 증산

112~113쪽 개념 확인하기

1 ② 2 ㉠ 3 ㉢ 4 ③, ④
5 ㉡ 6 ③

똑똑한 하루 퀴즈

7

대	곡	광	산
가	합	녹	☆
성	☆	말	면
계	기	공	장

❶ 녹말 ❷ 광합성 ❸ 기공

풀이

1 아이오딘-아이오딘화 칼륨 용액은 녹말과 만나면 청람색으로 변하는 성질이 있습니다.

2 식물이 잎에서 양분을 만드는 데에는 빛이 필요하기 때문에 어둠 상자를 씌우지 않아 빛을 받은 잎에서만 양분이 만들어집니다.

3 광합성은 식물이 빛과 이산화 탄소, 물을 이용하여 스스로 양분을 만드는 것을 말합니다.

4 식물이 광합성을 할 때에는 빛, 이산화 탄소, 물이 필요합니다.

5 증산 작용은 잎에 있는 기공을 통해 일어납니다.

6 뿌리에서 흡수한 물은 줄기를 통해 잎까지 이동한 후 잎에서 사용되고 남은 것은 잎에 있는 기공을 통해 식물 밖으로 빠져나갑니다.

7 ❶은 녹말, ❷는 광합성, ❸은 기공입니다.

4일 꽃과 열매

117쪽 개념 체크

1 꽃받침 2 꽃가루 3 생김새

118~119쪽 개념 확인하기

1 ② 2 ㉡ 3 암술 4 열매
5 ㉢

집중 연습 문제

6 ④ 7 예 물, 새, 바람 등 예 없기

풀이

1 꽃은 대부분 암술, 수술, 꽃잎, 꽃받침으로 이루어져 있습니다.

2 수술은 꽃가루를 만드는 일을 합니다.

3 ㉠은 암술로, 씨가 될 밑씨가 들어 있으며 꽃가루받이가 이루어지는 곳입니다.

4 식물의 각 부분 중 어린 씨를 보호하고 씨가 익으면 멀리 퍼뜨리는 일을 하는 것은 열매입니다.

5 민들레의 열매에는 가벼운 솜털이 있어 바람에 날려서 퍼집니다.

6 꽃가루받이는 수술에서 만든 꽃가루를 암술로 옮기는 것을 말합니다.

7 식물은 스스로 움직일 수 없기 때문에 곤충, 새, 물, 바람 등의 도움을 받아 꽃가루받이가 이루어집니다.

5일 3주 마무리하기

122~125쪽 마무리하기 문제

1 세포 2 ④ 3 ㉢ 4 ②
5 ⑤ 6 ③ 7 ㉠ 8 줄기
9 ㉡ 10 ① 11 예 잎을 통해 식물 밖으로 빠져나갔기 때문이다. 12 ③ 13 ㉡
14 ④

똑똑한 하루 퀴즈

15

풀이

1 생물을 이루는 기본 단위는 세포입니다.

2 ㉠은 세포 내부와 외부를 드나드는 물질의 출입을 조절해 주는 세포막입니다.

3 식물 세포에서 생명 활동을 조절해 주는 것은 핵이고, 세포 모양을 일정하게 유지하는 것은 세포벽입니다.

4 식물 세포는 핵, 세포막, 세포벽으로 이루어져 있고, 동물 세포는 핵과 세포막으로 이루어져 있습니다. 세포는 대부분 크기가 매우 작아 맨눈으로 관찰하기 어렵습니다.

5 식물 뿌리는 식물의 종류에 따라 각각 생김새가 다릅니다.

6 뿌리에 양분을 저장하고 있는 식물은 당근, 고구마, 무처럼 뿌리가 굵고 큽니다.

7 백합을 붉은 색소 물에 넣어 두면 백합 줄기를 통해 붉은 색소 물이 이동하기 때문에 줄기에 붉게 물든 부분이 나타나게 됩니다.

8 줄기는 뿌리에서 흡수한 물이 이동하는 통로 역할을 합니다.

9 아이오딘-아이오딘화 칼륨 용액은 녹말과 만나면 청람색으로 변하는 성질이 있습니다.

왜 틀렸을까?
- 빛을 받은 잎에서는 녹말이 만들어지기 때문에 아이오딘-아이오딘화 칼륨 용액과 만나 청람색으로 변합니다.
- 빛을 받지 못한 잎에서는 녹말이 만들어지지 않기 때문에 아이오딘-아이오딘화 칼륨 용액과 만나도 색깔 변화가 나타나지 않습니다.

10 식물이 빛, 이산화 탄소, 물을 이용하여 스스로 양분을 만드는 것을 광합성이라고 합니다.

11 뿌리에서 흡수한 물은 잎을 통해 식물 밖으로 빠져나가기 때문에 나뭇가지에 비닐봉지를 씌우면 비닐봉지에 물방울이 생깁니다.

인정 답안
비닐봉지 안에 생긴 물방울이 식물의 무엇을 통해 나온 것인지 포함되게 써야 정답으로 인정합니다.

인정 답안의 예
- 잎을 통해 밖으로 나갔기 때문이다.
- 잎을 통해 밖으로 빠져나갔기 때문이다.
- 잎을 통해 식물 밖으로 나갔기 때문이다. 등

12 꽃에서 암술은 꽃가루받이를 거쳐 씨를 만들고, 수술은 꽃가루를 만듭니다. 꽃잎은 암술과 수술을 보호하고, 꽃받침은 꽃잎을 보호하는 역할을 합니다.

13 ㉠은 열매, ㉢은 잎이 하는 일입니다.

14 도깨비바늘 열매에는 갈고리가 있어 씨가 사람의 옷이나 동물의 털에 붙어서 퍼집니다.

15 ❶은 흡수, ❷는 수술, ❸은 줄기, ❹는 기공, ❺는 꽃가루받이, ❻은 꽃받침입니다.

3주 | TEST+특강

126~127쪽 누구나 100점 TEST

1 (1) ㉡ (2) ㉠ (3) ㉢　2 세포막　3 ③
4 ㉢　5 ④　6 (1) ○ (2) ○ (3) ×
7 ②, ⑤　8 암술　9 ㉣
10 (1) ㉠ (2) ㉢ (3) ㉡

풀이

1 식물 세포는 세포벽과 세포막으로 둘러싸여 있고 안에 핵이 있습니다.

2 식물 세포와 동물 세포에는 공통적으로 핵과 세포막이 있습니다.

3 뿌리에 양분을 저장하고 있는 식물은 뿌리가 굵고 큽니다.

4 식물의 뿌리는 땅속으로 뻗어 물을 흡수하고, 식물을 지지하며, 양분을 저장하기도 합니다.

5 줄기는 뿌리에서 흡수한 물을 식물 전체로 보내는 물의 이동 통로 역할을 합니다.

6 잎에서 양분을 만들 때에는 빛, 이산화 탄소, 물이 필요합니다.

7 증산 작용은 잎에 도달한 물이 기공을 통해 식물 밖으로 빠져나가는 것을 말합니다.

8 꽃가루받이가 이루어져야 꽃은 씨를 만들 수 있습니다.

9 꽃가루받이가 이루어진 후에 열매가 생깁니다. 꽃가루받이가 이루어지게 돕는 것은 곤충, 새, 물, 바람 등입니다.

10 벚나무는 열매의 맛이 좋아 동물에게 먹혀 씨가 퍼집니다. 민들레 열매에는 솜털이 있어 바람에 날려서 씨가 퍼집니다. 도깨비바늘의 열매에는 갈고리가 있어 사람의 옷이나 동물의 털에 붙어 씨가 퍼집니다.

129쪽 생활 속 과학 융합

❶

풀이

❶ 고구마와 당근은 잎에서 만든 양분을 뿌리에 저장하고, 감자는 양분을 줄기에 저장합니다. 잎에서 만들어진 양분은 줄기, 열매, 뿌리 등에 저장됩니다.

130~131쪽 사고 쑥쑥 창의

❷ 예 광합성을 하여 양분을 만들 때 필요한 빛

❸ (1) ㉢ (2) ㉠ (3) ㉣ (4) ㉡

풀이

❷ 식물이 광합성을 하여 양분을 만들 때에는 빛이 꼭 필요합니다. 식물의 잎이 납작하면 빛을 받을 수 있는 면적이 더 넓어지기 때문에 식물의 잎 모양이 대부분 납작한 것입니다.

❸ 뿌리는 물을 흡수하는 기능을 하고, 줄기는 물의 이동 통로입니다. 잎은 광합성과 증산 작용을 하고, 꽃은 꽃가루받이를 거쳐 씨를 만듭니다.

132~133쪽 논리 탄탄 코딩

❹ 햇빛 칸에 ○표

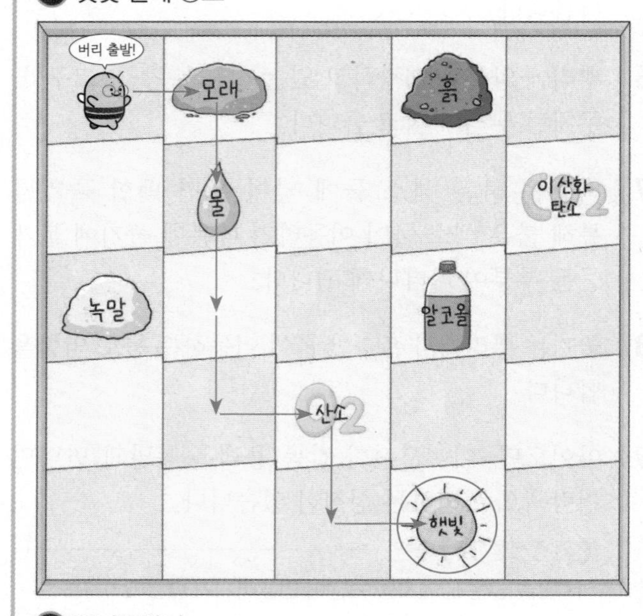

❺ 꽃가루받이

풀이

❹ • ➜ → ⬇ 순서로 코딩을 하면 '물' 칸에 도착합니다. 물은 광합성에 필요한 조건이므로 '예' 화살표로 이동해서 코딩을 진행합니다.
- 이후 ⬇ → ⬇ → ➜ 순서로 코딩을 하면 '산소' 칸에 도착합니다.
- 산소는 광합성에 필요한 조건이 아니므로 '아니요' 화살표로 이동해 ⬇ → ➜ 과정을 반복하여 '햇빛' 칸에 도착합니다.
- 햇빛은 광합성에 필요한 조건이므로 '예' 화살표로 이동하여 도착 칸이 됩니다.

❺ 라플레시아는 파리에 의해 꽃가루가 운반되어 꽃가루받이가 이루어지므로, 파리를 끌어들이기 위해 고약한 냄새를 풍깁니다.

4주 빛과 렌즈

1일 빛의 굴절

141쪽 개념 체크

1 여러 　 2 경계 　 3 굴절

142~143쪽 개념 확인하기

1 (2) ○ 　 2 햇빛 　 3 ②, ④ 　 4 ㉡
5 ③

똑똑한 하루 퀴즈

6

굴	절	☆	유
골	프	리	즘
무	☆	라	☆
☆	지	경	스
진	☆	개	계

❶ 프리즘 ❷ 무지개 ❸ 굴절 ❹ 경계

풀이

1 프리즘을 통과한 햇빛은 여러 가지 빛깔로 나타납니다.

2 비가 온 뒤 무지개가 생기는 것은 공기 중에 있는 물방울이 프리즘 구실을 하기 때문입니다.

3 빛은 공기 중에서 물로, 또 물에서 공기 중으로 비스듬히 나아갈 때 공기와 물의 경계에서 꺾여 나아갑니다. 빛을 수직으로 비추면 꺾이지 않고 그대로 나아갑니다.

4 서로 다른 물질의 경계에서 빛이 꺾여 나아가는 현상을 빛의 굴절이라고 합니다.

5 물속에 있는 물체의 모습은 실제와 다른 위치에서 보입니다. 빛이 공기와 물의 경계에서 굴절하기 때문입니다.

6 ❶ 프리즘은 유리 등으로 만든 삼각기둥 모양의 기구로 햇빛을 통과시키면 빛이 나누어집니다.
❷ 무지개는 비가 내린 뒤에 하늘에서 볼 수 있는 것으로 여러 빛깔로 나타납니다.
❸ 서로 다른 물질의 경계에서 빛이 꺾여 나아가는 현상을 빛의 굴절이라고 합니다.
❹ 빛은 물과 공기의 경계에서 꺾여 나아갑니다.

2일 볼록 렌즈

147쪽 개념 체크

1 볼록 　 2 가까이 　 3 굴절

148~149쪽 개념 확인하기

1 ㉠, ㉢ 　 2 볼록 렌즈 　 3 (1) ㉡ (2) ㉠
4 ④ 　 5 (1) ○ (2) × (3) ○

집중 연습 문제

6 (1) 크게 (2) 바뀌어
7 (1) ㉡ (2) ㉠

풀이

1 ㉡과 ㉣ 렌즈는 가장자리가 가운데보다 두꺼운 모양입니다.

2 ㉡과 ㉣과 같은 모양의 렌즈는 오목 렌즈라고 합니다.

3 볼록 렌즈로 가까이 있는 물체를 보면 크게 보이고, 멀리 있는 물체를 보면 상하좌우가 바뀌어 보입니다.

4 곧게 나아가던 빛이 볼록 렌즈의 가장자리를 통과하면 빛은 두꺼운 가운데 부분으로 꺾여 나갑니다. 볼록 렌즈의 가운데 부분을 통과한 빛은 꺾이지 않고 그대로 나아갑니다.

5 볼록 렌즈로 햇빛을 한곳으로 모은 곳의 온도는 주변보다 높습니다.

6 볼록 렌즈는 빛을 굴절시키기 때문에 실제 모습과 다르게 보입니다.

7 볼록 렌즈로 물체를 보면 물체의 위치에 따라 크게 보일 때도 있고 상하좌우가 바뀌어 보일 때도 있습니다.

3일 간이 사진기

153쪽 개념 체크

1 볼록　2 기름종이　3 ㄴ

154~155쪽 개념 확인하기

1 ❶ 볼록 렌즈 ❷ 기름종이　2 ②　3 ㉡
4 ㉢　5 (1) × (2) ○　6 ②

똑똑한 하루 퀴즈

7

굴	절	★	속
반	사	결	상
★	겉	상	자
간	★	자	★
★	이	★	★

❶ 간이 ❷ 겉 상자 ❸ 굴절

풀이

1 간이 사진기는 겉 상자에 볼록 렌즈를 붙이고, 속 상자에 기름종이를 붙여 만듭니다.

2 속 상자의 기름종이부터 겉 상자에 넣은 다음, 겉 상자를 앞뒤로 움직이면서 물체를 관찰합니다.

3 간이 사진기로 물체를 보면 속 상자에 붙인 기름종이에서 물체의 모습을 볼 수 있습니다.

4 간이 사진기로 'ㄱ'을 보면 상하좌우가 바뀌어 'ㄴ'으로 보입니다.

5 간이 사진기로 물체를 보면 물체의 모습이 상하좌우가 바뀌어 보입니다.

6 간이 사진기에 있는 볼록 렌즈가 빛을 굴절시키기 때문입니다.

7 ❶ 간이 사진기는 물체에서 반사된 빛을 볼록 렌즈로 모아 물체의 모습이 기름종이에 나타나게 하는 간단한 구조의 사진기입니다.
❷ 간이 사진기에서 볼록 렌즈를 붙이는 곳은 겉 상자입니다.
❸ 간이 사진기에 있는 볼록 렌즈가 빛을 굴절시킵니다.

4일 볼록 렌즈를 이용한 기구

159쪽 개념 체크

1 볼록　2 사진기　3 현미경

160~161쪽 개념 확인하기

1 ⑤　2 예 확대　3 (1) ㉡ (2) ㉠ (3) ㉢

4 ㉠  ㉡  ㉢ 

5 (1) ㉠, 사진기 (2) ㉡, 망원경 (3) ㉢, 현미경

똑똑한 하루 퀴즈

6

올	록	★	돋
볼	★	망	보
★	안	원	기
현	미	경	★
★	★	렌	즈

❶ 볼록 ❷ 망원경 ❸ 렌즈 ❹ 돋보기

풀이

1 우리 생활에서 볼록 렌즈를 이용하는 상황입니다.

2 볼록 렌즈를 사용했을 때 물체의 모습을 확대해서 볼 수 있기 때문에 작은 물체를 자세히 관찰할 수 있습니다.

3 돋보기, 확대경, 돋보기안경은 볼록 렌즈를 이용해 만든 기구입니다.

4 사진기는 대물렌즈, 망원경과 현미경은 대물렌즈와 접안렌즈에 볼록 렌즈가 쓰입니다.

5 ㉠ 사진기, ㉡ 망원경, ㉢ 현미경은 볼록 렌즈를 이용해 만든 기구입니다.

6 ❶ 볼록 렌즈는 빛을 굴절시키고 모을 수 있습니다.
❷ 망원경은 볼록 렌즈를 이용해 만든 것으로 멀리 있는 물체를 확대할 때 쓰입니다.
❸ 휴대 전화 사진기에는 볼록 렌즈가 있습니다.
❹ 가까운 것이 잘 보이지 않는 사람은 돋보기안경을 씁니다.

5일 4주 마무리하기

164~167쪽 마무리하기 문제

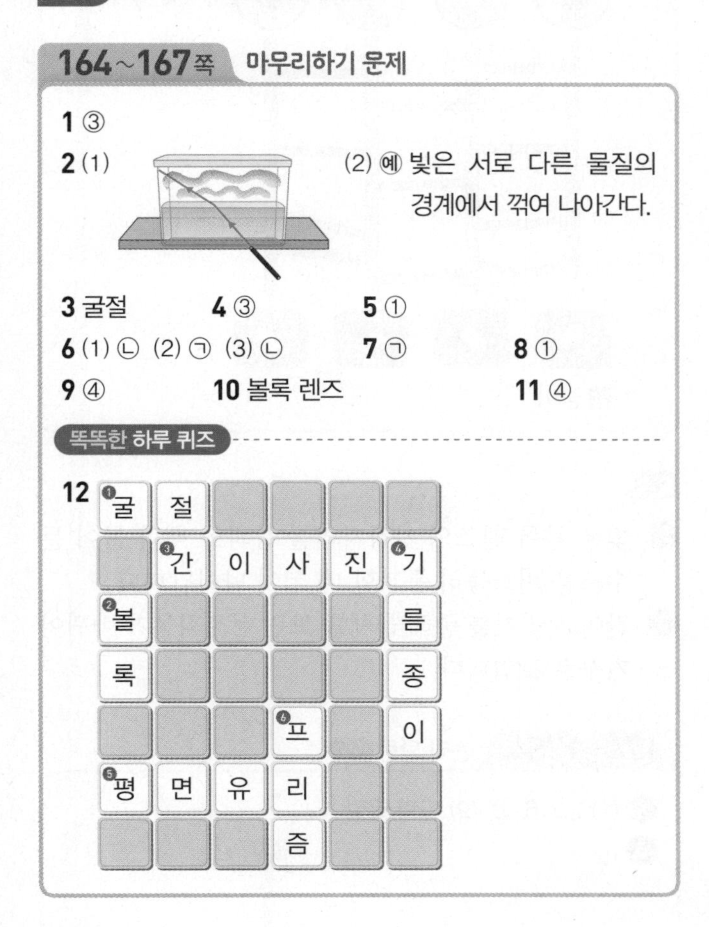

1 ③

2 (1) (2) 예 빛은 서로 다른 물질의 경계에서 꺾여 나아간다.

3 굴절 4 ③ 5 ①

6 (1) ㉡ (2) ㉠ (3) ㉡ 7 ㉠ 8 ①

9 ④ 10 볼록 렌즈 11 ④

똑똑한 하루 퀴즈

12

❶굴	절				
	❸간	이	사	진	❹기
❷볼					름
록					종
			❻프		이
❺평	면	유	리		
			즘		

풀이

1 햇빛을 프리즘에 통과시키면 햇빛이 여러 가지 빛깔로 나타납니다.

2 서로 다른 물질의 경계에서 빛이 꺾여 나아가는 현상을 빛의 굴절이라고 합니다.

[인정 답안]
(1)에 빛이 물과 공기의 경계에서 꺾여 나아가는 모습을 그리고, (2)에 빛의 굴절에 대한 내용을 쓰면 정답으로 인정합니다.

인정 답안의 예
(2) • 빛은 물과 공기의 경계에서 굴절한다.
• 빛의 굴절 현상으로 꺾여 나간다. 등

3 빛의 굴절 때문에 물속에 있는 물체는 실제와 다르게 보입니다.

4 볼록 렌즈는 빛을 굴절시키고 모을 수 있습니다.

5 볼록 렌즈로 가까이 있는 물체를 관찰하면 크게 보입니다.

6 빛이 볼록 렌즈의 가장자리인 (1)과 (3)을 통과할 때 가운데 부분으로 꺾여 나아가고, 볼록 렌즈의 가운데인 (2)를 통과할 때 꺾이지 않고 그대로 나아갑니다.

7 간이 사진기의 겉 상자에는 볼록 렌즈를, 속 상자에는 기름종이를 붙입니다.

8 간이 사진기에 있는 볼록 렌즈는 빛을 굴절시켜 기름종이에 상하좌우가 바뀐 물체의 모습을 만듭니다.

9 간이 사진기로 물체를 보면 물체의 상하좌우가 바뀌어 보입니다.

10 우리 생활에서 볼록 렌즈를 이용해 만든 기구로 현미경, 돋보기, 확대경, 망원경, 사진기, 휴대 전화 사진기 등이 있습니다.

11 ①은 확대경 등, ②는 돋보기나 현미경 등, ③은 망원경, ⑤는 돋보기안경의 쓰임새입니다.

12 ❶은 굴절, ❷는 볼록, ❸은 간이 사진기, ❹는 기름종이, ❺는 평면 유리, ❻은 프리즘입니다.

4주 | TEST+특강

168~169쪽 누구나 100점 TEST

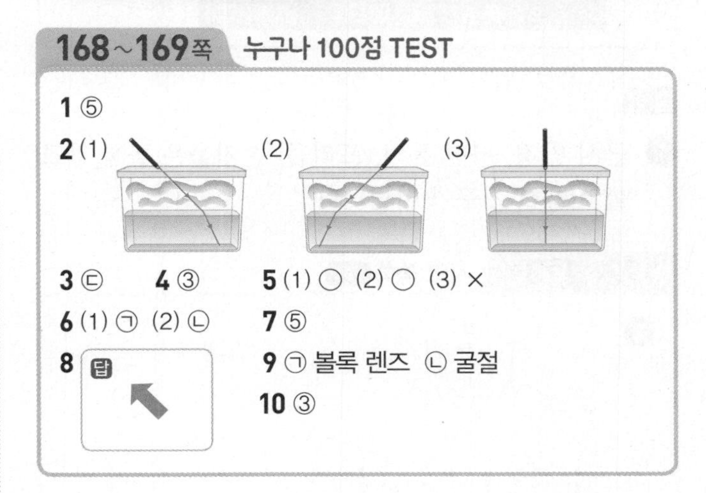

1 ⑤

2 (1) (2) (3)

3 ㉢ 4 ③ 5 (1) ○ (2) ○ (3) ×

6 (1) ㉠ (2) ㉡ 7 ⑤

8 답 9 ㉠ 볼록 렌즈 ㉡ 굴절

10 ③

풀이

1 햇빛이 프리즘을 통과하면 여러 가지 빛깔로 나타나는 것으로 보아 햇빛은 여러 가지 빛깔로 이루어져 있음을 알 수 있습니다.

2 빛을 수면에 비스듬하게 비추면 빛이 공기와 물의 경계에서 꺾여 나아갑니다.

4 물속의 젓가락에서 나온 빛이 수면에서 꺾여 눈에 들어와 젓가락이 그 연장선 위에서 보이게 되므로 꺾여 보입니다.

7 간이 사진기는 겉 상자에 볼록 렌즈를 붙이고, 속 상자에 기름종이를 붙여 만듭니다.

8 간이 사진기로 본 물체의 모습은 상하좌우가 바뀐 모습입니다.

10 망원경, 현미경, 확대경은 우리 생활에서 볼록 렌즈를 이용해 만든 기구입니다.

171쪽 생활 속 과학 융합

❶

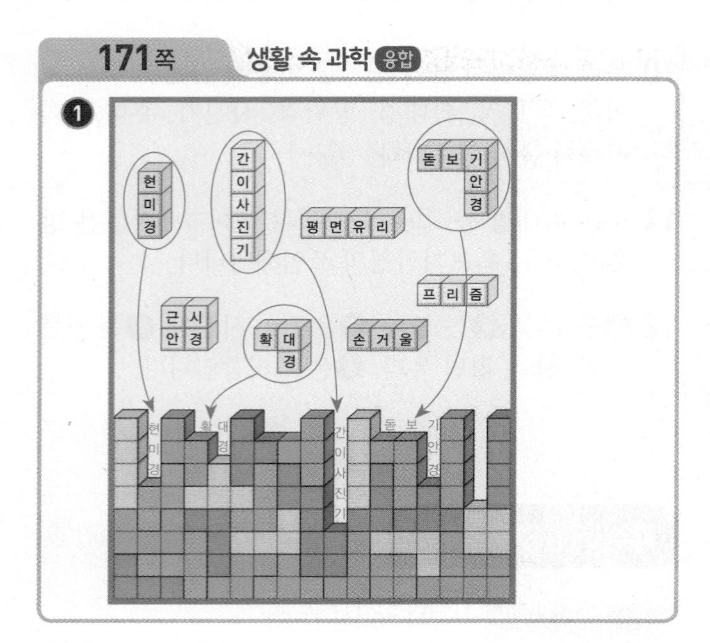

풀이

❶ 근시 안경, 평면 유리, 프리즘, 손거울은 볼록 렌즈를 이용한 기구가 아닙니다.

172~173쪽 사고 쑥쑥 창의

❷

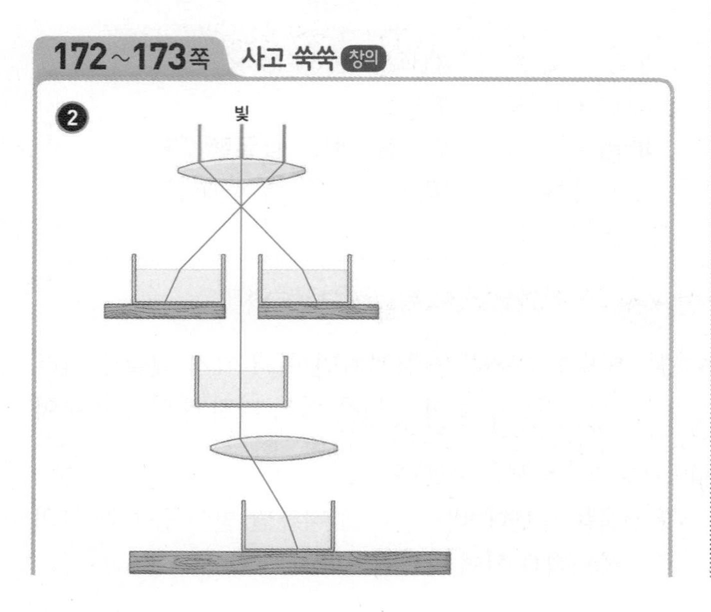

❸

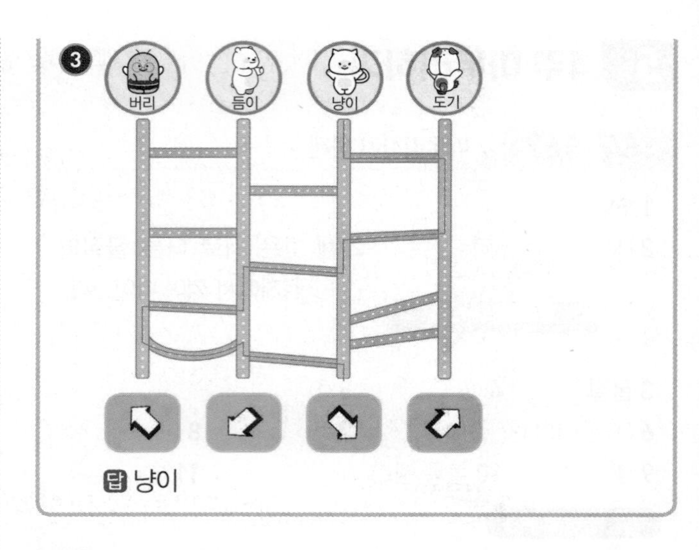

답 냥이

풀이

❷ 빛은 볼록 렌즈의 가장자리를 통과할 때와 물이 든 수조를 비스듬히 통과할 때 꺾여 나아갑니다.

❸ 간이 사진기를 통해 물체를 보면 상하좌우가 바뀌어 거꾸로 보입니다.

174~175쪽 논리 탄탄 코딩

❹ (1) 1, 3, 6, 10 (2) 빛의 굴절

❺

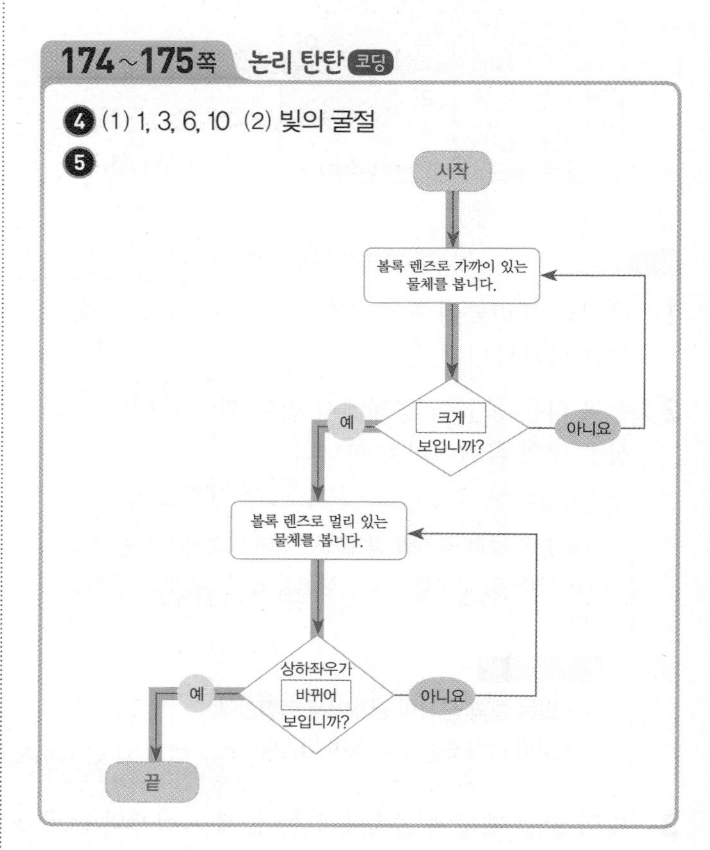

풀이

❺ 볼록 렌즈로 가까이 있는 물체를 보면 크게 보이고, 멀리 있는 물체를 보면 상하좌우가 바뀌어 보입니다.

꼭 알아야 할
사자성어

水	漁	之	交
물	물고기	갈	사귈
수	어	지	교

물고기에게 물은 정말 소중한 존재이지요.
수어지교란 물고기와 물의 관계처럼,
아주 친밀하여 떨어질 수 없는 사이
또는 깊은 우정을 일컫는 말이랍니다.

정답은
이안에
있어!

기초 학습능력 강화 프로그램

매일 조금씩 공부력 UP!

국어
예비초~초6

수학
예비초~초6

영어
예비초~초6

봄·여름 가을·겨울
(바·슬·즐)
초1~초2

안전
초1~초2

사회·과학
초3~초6

배움으로 행복한 내일을 꿈꾸는

천재교육 커뮤니티 안내

교재 안내부터 구매까지 한 번에!

천재교육 홈페이지

자사가 발행하는 참고서, 교과서에 대한 소개는 물론
도서 구매도 할 수 있습니다. 회원에게 지급되는 별을 모아
다양한 상품 응모에도 도전해 보세요!

다양한 교육 꿀팁에 깜짝 이벤트는 덤!

천재교육 인스타그램

천재교육의 새롭고 중요한 소식을 가장 먼저 접하고 싶다면?
천재교육 인스타그램 팔로우가 필수!
깜짝 이벤트도 수시로 진행되니 놓치지 마세요!

수업이 편리해지는

천재교육 ACA 사이트

오직 선생님만을 위한, 천재교육 모든 교재에 대한 정보가 담긴
아카 사이트에서는 다양한 수업자료 및 부가 자료는 물론
시험 출제에 필요한 문제도 다운로드하실 수 있습니다.

https://aca.chunjae.co.kr

천재교육을 사랑하는 샘들의 모임

천사샘

학원 강사, 공부방 선생님이시라면 누구나 가입할 수 있는 천사샘!
교재 개발 및 평가를 통해 교재 검토진으로 참여할 수 있는 기회는 물론
다양한 교사용 교재 증정 이벤트가 선생님을 기다립니다.

아이와 함께 성장하는 학부모들의 모임공간

튠맘 학습연구소

튠맘 학습연구소는 초·중등 학부모를 대상으로 다양한 이벤트와 함께
교재 리뷰 및 학습 정보를 제공하는 네이버 카페입니다.
초등학생, 중학생 자녀를 둔 학부모님이라면 튠맘 학습연구소로 오세요!